Kana

NARUTO

masashi kishimoto

7

Sommaire

1er épisode : Naruto Uzumaki !! 5

2e épisode : Konoha-Maru !! 61

3e épisode : Sasuke Uchiwa !! 85

4e épisode : Kakashi Hatake !! 109

5e épisode : L'inattention est la pire ennemie ! 129

6e épisode : Non ! Pas Sasuke ! 149

7e épisode : La conclusion de Kakashi 169

1er ÉPISODE : NARUTO UZUMAKI !!

1er ÉPISODE
NARUTO UZUMAKI !!

NARUTO

火
* FEU

GYA
HA HA
HA HA
HA !

MAÎTRE HOKAGE !!!
QU'Y A-T-IL ? C'EST ENCORE CE VAURIEN DE NARUTO QUI FAIT DES SIENNES ?

TOUT JUSTE ! IL EST EN TRAIN DE COUVRIR DE GRAFFITIS LES PORTRAITS SCULPTÉS DE NOS MAÎTRES ANCESTRAUX !
ET CETTE FOIS, C'EST CARRÉMENT À LA PEINTURE QU'IL LES BARBOUILLE !!!
FWAP
PFYUUU
* FEU

FWIIP
FWIIP
NARUTO ! QUAND CESSERAS-TU DE FAIRE DES BÊTISES ?!
CHAQUE JOUR, C'EST LA MÊME CHOSE ! ÇA COMMENCE À BIEN FAIRE !!
NON MAIS, REGARDEZ-MOI ÇA ! QUEL SACRILÈGE !
QUEL SALE GARNEMENT !
UN
DEUX

ROLL
TAISEZ-VOUS, BANDE DE NAZES !
VOUS N'OSERIEZ JAMAIS EN FAIRE AUTANT, PAS VRAI ?!
MAIS MOI, JE N'AI PAS FROID AUX YEUX ! ÇA VOUS ÉPATE, HEIN ?!

BON SANG ! QUELLE CALAMITÉ, CE GAMIN !
IL N'A MÊME PAS ÉPARGNÉ MON PORTRAIT.
AH ! VOILÀ MAITRE HOKAGE !!!

HEIN ?
PARDONNEZ-MOI, MAITRE HOKAGE. JE M'EN OCCUPE.
toc

HYUUUUU
OH ! IRUKA...

ROLL
ROLL
NARUTO ! QU'EST-CE QUE TU FABRIQUES ENCORE ?! JE VAIS T'APPRENDRE À SÉCHER LES COURS !!
DESCENDS DE LÀ IMMÉDIATEMENT, ESPÈCE DE BON À RIEN !!
OUPS ! LE PROFESSEUR IRUKA !
ABRUTI

FWM
PEUH !

TU TROUVES QUE LE MOMENT EST BIEN CHOISI POUR SÉCHER LES COURS ET JOUER AU VANDALE ?!
PAUVRE DEMEURÉ !
C'EST DEMAIN QU'A LIEU L'EXAMEN FINAL DE NOTRE ÉCOLE DE NINJAS ! TU SAIS, CELUI AUQUEL TU AS DÉJÀ ÉCHOUÉ DEUX FOIS !

HEiiiiN ?!
CONTRÔLE-SURPRISE POUR TOUT LE MONDE ! METTEZ-VOUS EN RANG !
VOUS ALLEZ UTILISER UNE TECHNIQUE DE MÉTAMORPHOSE ET PRENDRE MON APPARENCE !

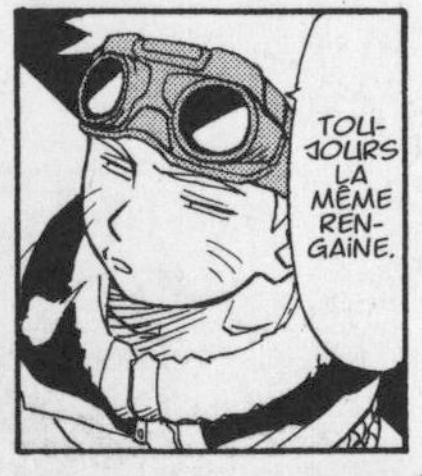
TOUJOURS LA MÊME RENGAINE.

GRRR !

AU SUIVANT ! UZUMAKI NARUTO !
TRÈS BIEN !
POFF
ボン
しゃあ!
yeah !

ボン!
POOFF

C'EST TA FAUTE SI ON SE TAPE CE CONTRÔLE-SURPRISE !
ET ALORS ?

MÉTAMORPHOSE!!!
ZWOOM
ボウ!!

QUELLE BARBE ! ÇA MANQUE D'AMBIANCE ...

À MOI DE JOUER...
top

POOFF
ボワン
SMACK ?
チュ
FWYUUU
うっふ〜ん
POOFF
BWOOOM
!!
J'AI BAPTISÉ CETTE TECHNIQUE "SEXY-MÉTA" !!!
GYA HA HA HA HA HA !!!
POFF
ボン
GRRR
カッ!
ESPÈCE D'ANDOUILLE !
TU N'AS RIEN DE MIEUX À FAIRE QUE D'ÉLABORER DES TECHNIQUES GROTESQUES ?!

QUELLE MISÈRE !
LA POISSE !

APPLIQUE-TOI ! JE NE TE LAISSERAI PAS RENTRER CHEZ TOI TANT QUE ÇA NE SERA PAS NICKEL !

ÇA M'EST BIEN ÉGAL... DE TOUTE FAÇON, IL N'Y A PERSONNE QUI M'ATTEND À LA MAISON !

PEUH !
フキ
frrt
フキ
frrt

よいしょ
よいしょ
frott
frott

NA-RU-TO...

QU'EST-CE QU'IL Y A ENCORE ?

OH... RIEN...
JE VOULAIS JUSTE DIRE QUE SI TU NETTOIES TOUT CORRECTEMENT...
Gratt Gratt ポリポリ
... JE T'OFFRIRAI UN BOL DE NOUILLES POUR LE DINER !

YAHOOO !! ATTENTION LES YEUX ! ÇA VA FROTTER DUR !!

SAKÉ À VOLONTÉ
ICHIRAKU
NOUILLES ICHIRAKU
GAZ
NA-RU-TO...

HMM ?
ズズ...
SLUUURPP

TU PEUX M'EXPLIQUER CE QUI T'A PRIS DE PEINTURLURER LES PORTRAITS DES MAÎTRES HOKAGES ?
TU SAIS POURTANT BIEN QUI ILS SONT...
ÉVIDEMMENT QUE JE LE SAIS !

EN GROS, CE SONT LES NINJAS LES PLUS FORTS DU VILLAGE...
もぐ
CRUMSH
... QUI REÇOIVENT LE TITRE DE "HOKAGE".
もぐ
CROMSH

À CE QU'ON RACONTE, LE 4e HOKAGE QUI REÇUT CE TITRE, FUT LE PLUS GRAND.
C'EST LUI, LE HÉROS QUI A DÉBARRASSÉ LE VILLAGE D'UN RENARD MONSTRUEUX.

ALORS, POURQUOI AS-TU FAIT CES GRAFFITIS ?
SLUURP
ズル...
UN JOUR, JE DEVIENDRAI UN HOKAGE MOI AUSSI !

FWIIIP
ビッ!
MÊME QUE JE SURPASSERAI TOUS CEUX DES GÉNÉRATIONS PRÉCÉDENTES !!!

ET PUIS COMME ÇA, TOUT LE MONDE SERA BIEN OBLIGÉ DE RECONNAÎTRE QUE C'EST MOI LE PLUS FORT !

DITES, PROFESSEUR... J'AI UNE FAVEUR À VOUS DEMANDER...
TU VEUX UN SECOND BOL DE NOUIL-LES ?
NON... J'AIMERAIS ESSAYER VOTRE BANDEAU FRONTAL À MOTIF DE FEUILLE...

OH ! ÇA ?
PAS QUESTION ! TU SAIS BIEN QUE C'EST LE BANDEAU QUE L'ON REÇOIT...
... EN RÉCOM-PENSE DE LA RÉUSSITE À L'EXAMEN FINAL DE L'ÉCOLE !
SI TOUT SE PASSE BIEN, TU AURAS LE TIEN DE-MAIN...

MÉCHANT !!!
HA HA HA HA ! C'EST POUR ÇA QUE TU AVAIS RETIRÉ TES LUNETTES, HEIN ?!
CHEF ! REMETTEZ-NOUS ÇA !
OK !

ドキ ドキ
Boum-Boum
Boum-Boum

BIEN... L'ÉPREUVE FINALE CONSISTE EN UN EXERCICE DE DÉDOUBLEMENT.
VEUILLEZ VOUS RENDRE, UN PAR UN, DANS LA SALLE VOISINE, LORSQUE VOUS SEREZ APPELÉ.

AAAARGHH... C'EST BIEN MA VEINE !
HOU ! LA LA !
C'EST LA TECHNIQUE QUE JE MAÎTRISE LE MOINS BIEN...

BON, J'AI PAS LE CHOIX... IL FAUT QUE J'ASSURE !
ATTENTION LES YEUX !
DEDOUBLEMENT !!!

POOUUFF
!
blom

RECALÉ !!!
BDOM

IRUKA ...

POURQUOI ÊTRE SI SÉVÈRE... C'EST LA TROISIÈME FOIS QU'IL PASSE L'EXAMEN ! ET PUIS, IL A QUAND MÊME RÉUSSI À CRÉER UN CLONE...
EN PLUS, C'ÉTAIT UN CLONE TRÈS ORIGINAL ...
ON POURRAIT LE FAIRE PASSER, NON ?

IL N'EN EST PAS QUESTION, MIZUKI !
TOUS LES AUTRES ÉLÈVES ONT RÉUSSI À CRÉER TROIS CLONES, ALORS QUE...
... NARUTO N'EN A GÉNÉRÉ QU'UN SEUL, QUI EN PLUS NE TENAIT MÊME PAS SUR SES JAMBES ! AUTANT DIRE QUE ÇA NE COMPTE PAS.

IMPOSSIBLE DE LUI DONNER LE DIPLÔME DANS CES CONDITIONS.

Brouhaha
忍*
Brouhaha

*SHINOBI

BRAVO, MON FILS ! JE SUIS FIER DE TOI !
NOUS SOMMES DE VRAIS HOMMES MAINTENANT !!
FÉLICITATIONS ! JE VAIS PRÉPARER UN BON REPAS POUR FÊTER ÇA COMME IL SE DOIT !

TU AS VU, LÀ-BAS...
C'EST LE FAMEUX GARÇON... LE SEUL À AVOIR ÉTÉ RECALÉ.

PEUH ! C'EST ENCORE HEUREUX ...
MANQUERAIT PLUS QUE CE SALE GOSSE DEVIENNE NINJA !

TOUT LE MONDE SAIT BIEN QU'EN RÉALITÉ, IL EST LE...
TAIS-TOI ! CE SUJET EST TABOU !
ftop

Ksiii
Ksiii

iRUKA, TU PASSERAS ME VOIR. iL FAUT QUE JE TE PARLE.
ENTEN-DU...

HÉ, NARU-TO !
PROFES-SEUR MIZUKi ...!

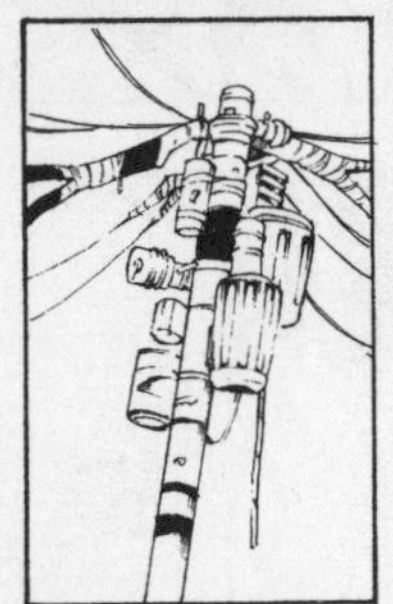

* FEU ** FLAMME

TU SAIS, iRUKA RESPECTE RiGOUREU-SEMENT LE RÈGLEMENT ...
SES PARENTS SONT DÉCÉDÉS QUAND iL N'ÉTAIT ENCORE QU'UN ENFANT. iL A GRANDi SEUL, LiVRÉ À LUi-MÊME. C'EST CETTE ENFANCE DiFFiCiLE QUi A FORGÉ SON CARACTÈRE STRiCT ET iMPLACABLE.
MAiS POURQUOi S'ACHARNE-T-iL À ME FAiRE REDOUBLER ...

JE SUIS SÛR QU'IL...
... SOUHAITE QUE TU DEVIENNES VRAIMENT TRÈS FORT...

PEUT-ÊTRE PARCE QU'IL TROUVE QUE TU LUI RESSEMBLES ...

TOI AUSSI, TU ES ORPHELIN...
TU DOIS CERTAINEMENT ÊTRE CAPABLE DE COMPRENDRE CE QU'IL RESSENT...

...
N'EMPÊCHE QUE, CETTE FOIS, J'AURAIS BIEN AIMÉ AVOIR MON DIPLÔME...
PUISQUE TU AS L'AIR D'Y TENIR AUTANT
... JE VAIS TE DONNER UN TUYAU EN OR !
HEIN ?

flop
flop

DIS DONC, NARUTO... TU PEUX ME DIRE CE QUE TU FABRIQUES CHEZ MOI EN PLEINE NUIT ?!
GLOUPS
!

QU...?!
SEXY-MÉTA!!!
BWOOOM

* FEU

fwup
Hgnnn

flap flap

whoop
FWISH

C'EST CELUI-LÀ !
!

バサ！
FLAP

VOYONS VOIR... LA PREMIÈRE TECHNIQUE EST... "LE MULTI-CLONAGE" ?
ALLONS BON ! JUSTEMENT CE QUE J'AIME LE MOINS...

ECOUTE-MOI, IRUKA...
QU'Y A-T-IL, MAITRE HOKAGE ?

JE COMPRENDS CE QUE TU RESSENS MAIS...
CE GARÇON EST COMME TOI, IL N'A PLUS DE PARENTS...

GRRRR

IL FAUT TENIR JUSQU'À L'ARRIVÉE DU MAÎTRE HOKAGE !!
LÂCHE-MOI !
PAPA ET MAMAN SONT ENCORE EN TRAIN DE COMBATTRE !

kshac
ガチャ…
QUE SE PASSE-T-IL ?
L'HEURE EST GRAVE !
RASSEMBLEMENT IMMÉDIAT CHEZ LE MAÎTRE HOKAGE !
BAM
ドン！ドン！
BAM BAM
ビク！
Glurps !

NARUTO A CHAPARDÉ LE ROULEAU DES TECHNIQUES INTERDITES !

!

CETTE FOIS, C'EST DU SÉRIEUX ! IL NE S'EN TIRERA PAS COMME ÇA !
MAÎTRE HOKAGE !!!
OUAIS ! C'EST SÛR !

C'EST VRAI. CE ROULEAU RENFERME DIFFÉRENTES TECHNIQUES INTERDITES PAR LE PREMIER HOKAGE PARCE QU'ELLES ÉTAIENT TROP DANGEREUSES.
UTILISÉES À MAUVAIS ESCIENT, ELLES POURRAIENT ÊTRE FORT REDOUTABLES...

IL Y A PLUS DE DOUZE HEURES QUE NARUTO A VOLÉ LE ROULEAU.
IL FAUT LE RETROUVER AVANT QU'IL NE SOIT TROP TARD !

FWASHH
FWASHH
ALLEZ-Y !
FWASHH

ÉTAN
LA
SOIF

HAA
HAA
HAA
HAA
...!
HAA
IL A DÛ ALLER DANS LA FORÊT...

IL NE ME RESTE PLUS QU'À RÉPANDRE UN PEU PLUS LA NOUVELLE DANS LE VILLAGE... APRÈS QUOI, J'ÉLIMINERAI DISCRÈTEMENT NARUTO...
ET JE DIRAI QU'IL S'EST ENFUI AVEC LE ROULEAU...

HAA
HAA

HAA
HAA
HAA

ZOM

JE T'AI ENFIN RETROUVE, PETIT VAURIEN !

!

AAH ! J'AI TROUVE "MONSIEUR SAIGNE-MENT-DE-NEZ" !!
ZAAM
C'EST MOI, QUI T'AI TROUVE, IDIOT !!

CRASS
CRASS

HÉ HÉ HÉ ! JE NE PENSAIS PAS QUE VOUS ME RETROUVERIEZ SI RAPIDEMENT.
J'AI À PEINE EU LE TEMPS D'APPRENDRE UNE TECHNIQUE !
DIS DONC, NARUTO...
TU ES TOUT ESQUINTÉ... QU'AS-TU FAIT POUR TE RETROUVER DANS UN TEL ÉTAT ?

VOUS INQUIÉTEZ PAS POUR ÇA ! VOUS SAVEZ QUOI ? VOUS SAVEZ QUOI ?
JE VAIS VOUS MONTRER UNE SUPER TECHNIQUE !
ET SI JE RÉUSSIS...
... VOUS ME DONNEREZ LE DIPLÔME, HEIN ?!

ÇA ALORS...
IL A PASSÉ TOUT SON TEMPS À S'ENTRAÎNER ICI... ?
JUSQU'À SE METTRE DANS CET ÉTAT...

NARUTO...
HMM ?
OÙ AS-TU EU LE ROULEAU QUE TU PORTES SUR TON DOS ?

AH ! ÇA ?
C'EST LE PROFESSEUR MIZUKI QUI M'A APPRIS SON EXISTENCE.
ET PUIS IL M'A DIT AUSSI OÙ IL ÉTAIT RANGÉ...

IL A DIT QUE SI JE VOUS MONTRAIS UNE TECHNIQUE DE CE ROULEAU...
... VOUS ME DONNERIEZ LE DIPLÔME À COUP SÛR !

MIZUKI ...?!

FWIISH
FWIISH
FWIISH
STACK
STACK
SKRRRSHH
STACK
STACK

Hungh
BIEN JOUÉ, IRUKA ! MERCI DE L'AVOIR RETROUVÉ !
GNUPP
D'ACCORD... JE COMMENCE À Y VOIR PLUS CLAIR...

?

NARUTO ! DONNE-MOI LE ROULEAU !!!

SCRUT.T
キョロ キョロ
SCRUT.T
VOUS POUVEZ M'EXPLIQUER CE QUI SE PASSE ?!
HE ! HE ! HE !
C'EST QUOI ÇA ?!

ÉCOUTE-MOI BIEN, NARUTO ! IL NE FAUT SURTOUT PAS LUI DONNER LE ROULEAU ! COMPRIS ?!
Frrtschn

IL CONTIENT DES TECHNIQUES SECRÈTES TRÈS DANGE-REUSES QUI NE DOIVENT PAS ÊTRE UTILISÉES !
MIZUKI S'EST SERVI DE TOI POUR S'EN EMPARER !
IL T'A TROMPÉ !!!

ZAM

AL-LONS, NA-RU-TO...
DONNE-LE-MOI. ÇA NE TE SERT À RIEN DE LE GARDER.
JE VAIS TE RACONTER LA VÉRITÉ !

!!

NON !!!
NE FAIS PAS ÇA !!

TU SAIS SÛREMENT QU'IL Y A 12 ANS, UN DÉMON-RENARD A ÉTÉ NEUTRALISÉ ET EMPRISONNÉ, PAS VRAI ?

?

CE JOUR-LÀ...
... TOUS LES HABITANTS DU VILLAGE ONT FAIT UN SERMENT.

QUE... QUEL SER-MENT ?

HÉ OUI, MON PAUVRE NARUTO ...
TU ES LE SEUL À QUI CE SERMENT N'A JAMAIS ÉTÉ RÉVÉLÉ.

POU... POUR-QUOI ?!
POUR-QUOI SUIS-JE LE SEUL À NE PAS ÊTRE AU COURANT ?!

hun
hun
hun
hun

QU'EST-CE QUE C'EST...
... CE FAMEUX SERMENT ?

C'EST DE NE JAMAIS DIRE QU'EN RÉALITÉ, TU ES LE DÉMON-RENARD.

QUOI ?

QU... QU'EST-CE QUE ÇA VEUT DIRE ?!
... C'EST TOI LE RENARD À NEUF QUEUES QUI A TUÉ LES PARENTS D'IRUKA ET...
!!
... DÉVASTE LE VILLAGE DE LA FAÇON LA PLUS ATROCE !
ÇA VEUT TOUT SIMPLEMENT DIRE QUE...
ÇA SUFFIT !!!

C'EST LE MAîTRE HOKAGE, QUE TU ADMIRES TANT, QUI T'A EMPRISONNÉ !

TAIS-TOI !!

ET TOUS LES HABITANTS DU VILLAGE T'ONT MENTI PENDANT 12 ANS !

TU N'AS JAMAIS TROUVE BIZARRE QUE TOUT LE MONDE TE FUIE COMME LA PESTE ?

ZAAM
TOUT LE MONDE TE DÉTESTE !!!
MÊME IRUKA TE HAIT EN RÉALITÉ !!!

!!
NARUTO !!!
ZUT !
ちくしょう!
ZUT !
ちくしょ!

ZUT !
ちくしょう!
ZUT !

WHOOOOOSH
ZUT !
ちくしょう
ちくしょう!
GRRRÂÂÂ

ちくしょ!!
ET ZUT !!
ちくしょう

OUVRE LES YEUX, NARUTO ! PERSONNE NE VEUT DE TOI !!
FWOOOSH
Glopff
IL N'A JAMAIS REÇU L'AMOUR DE SES PARENTS ET...
... LES HABITANTS DU VILLAGE LE TIENNENT TOUS À L'ÉCART.

LE SEUL MOYEN QU'IL A POUR ATTIRER L'ATTEN-TION SUR LUI...
... C'EST DE FAIRE DES BÊTISES SANS ARRÊT.

IL A BESOIN DE MONTRER AUX AUTRES QU'IL EXISTE, IL A BESOIN DE LEUR RECONNAIS-SANCE...
PEU IMPORTE LA MANIÈRE DONT IL L'OBTIENT...
STOOK

GWAA HAHAHA
CE SONT LES TECHNIQUES QUI ONT ÉTÉ UTILISÉES POUR T'EMPRISONNER QUI SONT CONSIGNÉES DANS CE ROULEAU !

IL N'EN LAISSE RIEN PARAÎTRE... MAIS AU FOND DE LUI, IL SOUFFRE ÉNORMÉMENT...
IRUKA EST UN OBSÉDÉ !!

HNNG...

plic

ボタボタ
plic plic

!

POUR... POURQUOI...

TU SAIS, NARUTO...

APRÈS LE DÉCÈS DE MES PARENTS, MOI AUSSI, JE ME SUIS RETROUVÉ ISOLÉ, SANS PERSONNE POUR ME FÉLICITER OU M'ENCOURAGER...

JE SOUFFRAIS BEAUCOUP DE CETTE SOLITUDE...

SPLAAASH
DU COUP, JE N'ARRÊTAIS PAS DE FAIRE LE PITRE EN CLASSE...
POUR QUE LES AUTRES ME REMARQUENT.

TOUT LE MONDE ME PRENAIT POUR UNE TÊTE MAIS PERSONNE NE FAISAIT VRAIMENT ATTENTION À MOI.

ALORS, POUR M'ATTIRER LEURS SYMPATHIES, JE FAISAIS SANS CESSE LE MARIOLE.
ÇA MARCHAIT PLUTÔT BIEN...
GYAA HA HA HA HA HA
CLAP
CLAP

MAIS C'ÉTAIT DUR !

plic

TOI AUSSI, TU AS DÛ TE SENTIR TERRIBLEMENT SEUL... JE SAIS COMME C'EST DUR...

PARDONNE-MOI, NARUTO... SI J'AVAIS ÉTÉ UN MEILLEUR TUTEUR...
... TU N'AURAIS PAS ENDURÉ TOUTE CETTE SOUFFRANCE.

...

ザッ!
FTAP

WHOOOSH
ダッ!
NARUTO !

フッ FTOP
HE HE HE ! DOMMAGE, IRUKA.
NARUTO NE FERA PAS MARCHE-ARRIÈRE. IL EST TROP TARD !
IL EST BIEN DÉCIDÉ À PRENDRE SA REVANCHE SUR LE VILLAGE...
... EN UTILISANT LES TECHNIQUES INTERDITES DU ROULEAU.

TU AS BIEN VU SON REGARD, QUAND IL S'EST MIS EN COLÈRE ?
C'ÉTAIT LE REGARD FURIEUX DU DÉMON-RENARD !

FTOUP
ズグッ!!
HNNG !

HAA
HAA
HAA
HAA
DÉSOLÉ, MIZUKI...
TU TE TROMPES COMPLÈTEMENT SUR LE COMPTE DE CE GARÇON...
PLOC ドロ...

ザッ!
FWUP
PEU IMPORTE ! PUISQUE DE TOUTE FAÇON, JE VAIS ME DÉBARRASSER DE LUI UNE FOIS POUR TOUTES !
LA SEULE CHOSE QUI M'INTÉRESSE, C'EST LE ROULEAU !
JE M'OCCUPERAI DE TOI ENSUITE !

STAC
ザッ!
HUNNG
JE... JE NE TE LAISSERAI PAS FAIRE !

ON AURAIT DÛ LE TUER, CE SATANÉ RENARD !

IL FAUT AGIR AVANT QUE LA PUISSANCE DU DÉMON NE REFASSE SURFACE !

WHOOOOOO
おおおおお
DE TOUTE FAÇON, NARUTO N'EST QU'UN BON À RIEN !
PAS D'HÉSITATION : ON LE RETROUVE, ET ON LUI RÈGLE SON COMPTE !!

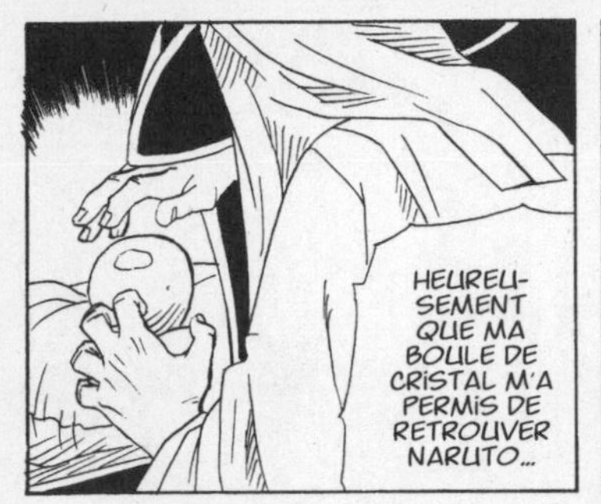
HEUREUSEMENT QUE MA BOULE DE CRISTAL M'A PERMIS DE RETROUVER NARUTO...

APRÈS AVOIR ENTENDU LES RÉVÉLATIONS DE MIZUKI...
... IL SE TROUVE PLONGÉ DANS UN ÉTAT D'AGITATION FÉBRILE TRÈS INSTABLE ...

LA PUISSANCE DU DÉMON SCELLÉE EN LUI POURRAIT BIEN SE LIBÉRER...
LE PLUS INQUIÉTANT EST QUE LE ROULEAU EST ENTRE SES MAINS...

LA POSSIBILITÉ QU'IL BRISE LE SCEAU ET SE TRANSFORME EN RENARD À NEUF QUEUES EST FAIBLE... MAIS PAS À EXCLURE !
LE PIRE RESTE À CRAINDRE...

LE VOILÀ !

NARUTO !!!
fwooosh

DONNE-MOI VITE LE ROULEAU !!!
C'EST UNIQUEMENT LE ROULEAU QUI INTÉRESSE MIZUKI !
FTAP
ダッ!
ダッ!
FTAP
SDOM !!
HEIN ?!
TOP

ドドガガガ
KRAAAAAASHHH

ザザザザ
SKRRRSHH
HAA
HAA

flop グラ..
C'EST IMPOSSIBLE ...
ズドド
BOM

HAA
NARUTO... COMMENT...

POF!
COMMENT AS-TU SU QUE C'ETAIT MOI ?!

HE HE HE

POF!

TOUT BONNEMENT PARCE QUE C'EST MOI, LE VRAI IRUKA...

HMM...
...
JE VOIS ...

HU HU HU... POURQUOI TE DONNES-TU TANT DE MAL POUR PROTÉGER CE GAMIN ?
C'EST LUI, LE MEURTRIER DE TES PARENTS.
PARCE QUE JE NE PEUX PAS LAISSER UN ABRUTI DANS TON GENRE S'EMPARER DU ROULEAU !
C'EST TOI, L'ABRUTI ! QUE CE SOIT MOI OU NARUTO QUI POSSÈDE LE PARCHEMIN, C'EST DU PAREIL AU MÊME.

!
...COMMENT ÇA ?

CELUI QUI MAÎTRISE LES TECHNIQUES INSCRITES SUR LE ROULEAU...
... ACQUIERT UN POUVOIR INCOMMENSURABLE.

IMPOSSIBLE QUE CE DÉMON-RENARD LAISSE PASSER UNE OCCASION PAREILLE DE RETROUVER SA FORCE !
CONTRAIREMENT À CE QUE TU IMAGINES, NARUTO N'EST PAS...
C'EST EXACT !

KZII
キッ

ET VOILÀ ! MIZUKI AVAIT BIEN RAISON...
EN RÉALITÉ, MÊME LE PROFESSEUR IRUKA...

... N'A AUCUNE ESTIME POUR MOI.
UN DÉMON-RENARD FERAIT CERTAINEMENT CE QUE TU DIS.
MAIS PAS NARUTO !
J'EN SUIS SÛR.

CE N'EST PAS POUR RIEN QUE JE LE CONSIDÈRE COMME...
... L'UN DES TOUT MEILLEURS ÉLÈVES DE L'ÉCOLE !

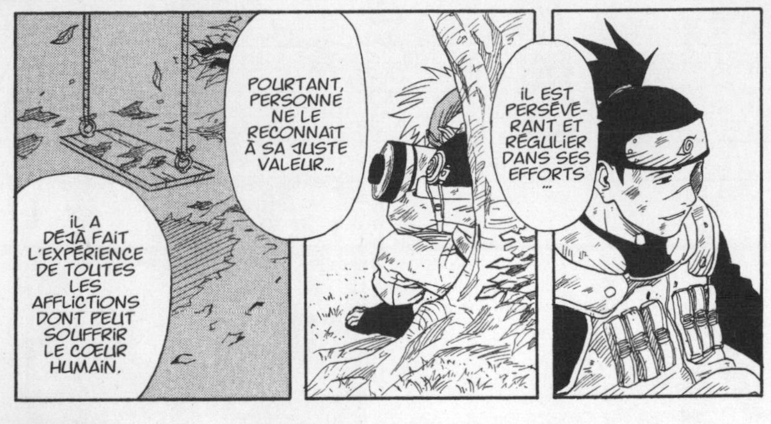
IL EST PERSÉVÉRANT ET RÉGULIER DANS SES EFFORTS ...
POURTANT, PERSONNE NE LE RECONNAÎT À SA JUSTE VALEUR...
IL A DÉJÀ FAIT L'EXPÉRIENCE DE TOUTES LES AFFLICTIONS DONT PEUT SOUFFRIR LE COEUR HUMAIN.

IL N'EST PLUS UN DÉMON-RENARD À PRÉSENT.
gniip
IL FAIT PARTIE DU VILLAGE KONOHA...

... ET SON NOM EST NARUTO UZUMAKI !

!
...

TRÈS ÉMOUVANTE, TA PETITE TIRADE.
snap
fwp

!
OURGH !!!
BLOP BLOP

J'AI CHANGÉ D'AVIS, IRUKA...
J'AVAIS DIT QUE JE M'OCCUPERAIS DE TOI, APRÈS AVOIR RÉCUPÉRÉ LE ROULEAU, MAIS FINALEMENT, AUTANT T'ACHEVER TOUT DE SUITE...
HAA
HAA

ADIEU, IRUKA !
FWSHH !
ZWAASHH
SDOM !!
CETTE FOIS, C'EST LA FIN...

!!

STACK !

!!

SKRRRSHH

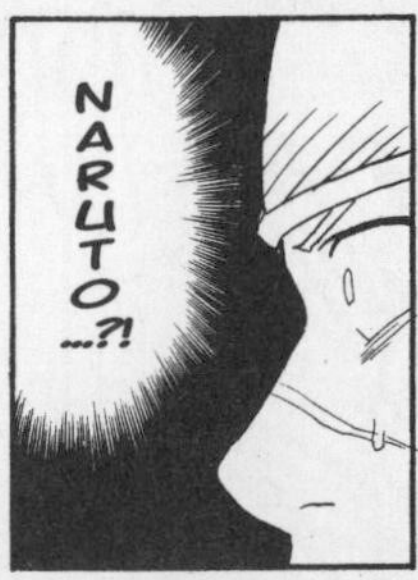
NARUTO ...?!

hung
...
グッ
TU VAS ME LE PAYER CHER, SALE PETITE VERMINE...

ESSAIE ENCORE UNE FOIS DE T'EN PRENDRE AU PROFESSEUR IRUKA ...
... ET JE T'ENVOIE DANS L'AUTRE MONDE...
WHAM !

IM... IMBÉCILE ! IL FALLAIT RESTER CACHÉ !!
VA-T'EN VITE !!!

LAISSE-MOI RIRE ! LES AVORTONS DE TON ESPÈCE, JE LES ÉCLATE D'UNE SEULE PICHENETTE !!!

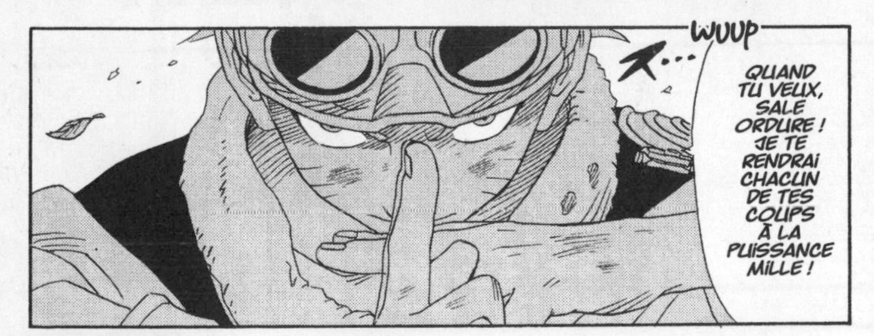
WUUP
QUAND TU VEUX, SALE ORDURE ! JE TE RENDRAI CHACUN DE TES COUPS À LA PUISSANCE MILLE !

C'EST CE QU'ON VA VOIR ! VIENS DONC, SI TU L'OSES, RENARD DÉGÉNÉRÉ !

!

ZAM

CLONAGE !!
!!!
ZAM

QUE...
QUOI ?!

ALORS, QU'EST-CE QUE TU EN DIS ?
TU PENSES TOUJOURS POUVOIR M'ÉCLATER D'UNE SIMPLE PICHENETTE ?
BOM
ドサ

BON SANG... NARUTO ...

ZOM
ザワ
ZOM
ザワ
BON...
C'EST MOI QUI LANCE L'OFFENSIVE, ALORS !

BOM
GYAAAAAAH
Krouiich
BIM
BAM
YAAAH
SDAM
SCROMB
SDOM
BAFF
ATTAA
CRAC
skriitch
BAM

C'EST STUPÉFIANT ! IL A VRAIMENT CRÉÉ 1000 CLONES... ET EN PLUS...
... IL NE S'AGIT PAS DE SIMPLES ILLUSIONS SANS CONSISTANCE, TOUS SONT BIEN RÉELS ! C'EST UNE TECHNIQUE DE NIVEAU SUPÉRIEUR...
SACRÉ NARUTO... IL SE POURRAIT BIEN, EN EFFET, QU'IL SURPASSE TOUS LES HOKAGES...

HÉ HÉ HÉ... J'Y SUIS PEUT-ÊTRE ALLÉ UN PEU TROP FORT...

PFYUUU
APPROCHE, NARUTO.
J'AI QUELQUE CHOSE POUR TOI !

VOUS L'AVEZ RETROUVÉ ?!
Brouhaha
ガヤ
NON, PAS MOYEN DE METTRE LA MAIN DESSUS !!!
Brouhaha
ガヤ
LA POISSE ! NOUS VOILÀ DANS UN BEAU PÉTRIN !
Bla Bla Bla
ガヤ
SI ÇA SE TROUVE, IL EST DÉJÀ PARTI LOIN D'ICI
TOUT EST RÉGLÉ, INUTILE DE VOUS INQUIÉTER DAVANTAGE.

?!
MAÎTRE ...

NARUTO ET IRUKA SERONT BIENTÔT DE RETOUR...

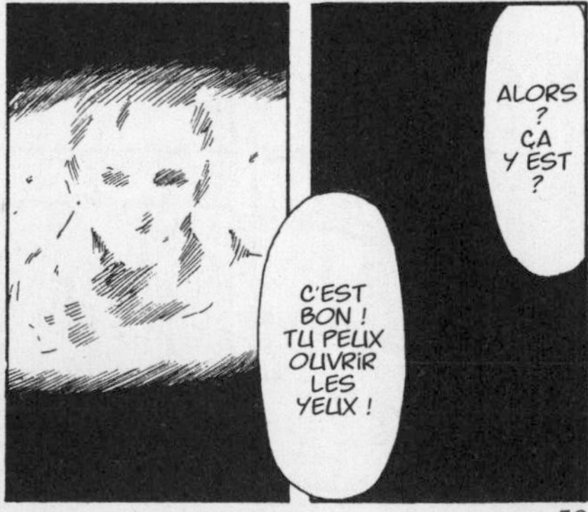
ALORS ? ÇA Y EST ?
C'EST BON ! TU PEUX OUVRIR LES YEUX !

FÉLICITATIONS ! NARUTO...
TE VOILÀ DIPLÔMÉ !!!
POUR FÊTER ÇA COMME IL SE DOIT...
...JE T'OFFRE UN BOL DE NOUILLES !!!
AÏE ! TU ME FAIS MAL !
J'AURAIS DÛ LE PRÉVENIR QUE LE PLUS DUR RESTAIT À VENIR...
ENFIN ! ON VERRA ÇA QUAND ON AURA LE VENTRE PLEIN...

VOICI DEUX DES TOUT PREMIERS DESSINS DE NARUTO, QUE J'AI RÉALISÉS.

C'EST À CELA QU'IL RESSEMBLAIT DANS L'HISTOIRE COURTE QUI A ÉTÉ PUBLIÉE, IL Y A DÉJÀ QUELQUE TEMPS, DANS UN NUMÉRO SPÉCIAL DE "JUMP," "AKAMARU-JUMP." VOUS REMARQUEREZ QU'À CETTE ÉPOQUE, IL N'AVAIT PAS ENCORE DE SANDALES : IL CHAUSSAIT DES BOTTES.

L'HISTOIRE COURTE EN QUESTION N'ÉTAIT PAS UN MANGA DE NINJAS. IL S'AGISSAIT D'UN SCÉNARIO PLUTÔT CLASSIQUE, OÙ LES PERSONNAGES ÉTAIENT DOTÉS DE POUVOIRS MAGIQUES.

LE CONCEPT DE BASE ÉTAIT DONC BIEN DIFFÉRENT DE CELUI DE LA SÉRIE ACTUELLE ; MAIS COMME LE PERSONNAGE DE NARUTO, QUE J'AVAIS DESSINÉ, ME PLAISAIT BEAUCOUP, J'AI DÉCIDÉ DE LE GARDER.

LE SEUL PROBLÈME CONCERNAIT SES GROSSES LUNETTES : CELA ME PRENAIT CHAQUE FOIS TROP DE TEMPS POUR LES DESSINER. ALORS, POUR ME SIMPLIFIER LA TÂCHE, J'AI IMAGINÉ LE BANDEAU FRONTAL DES NINJAS !

LE VILLAGE CACHÉ DE KONOHA
NOTRE JEUNE HÉROS VIENT JUSTE DE COMMENCER SA NOUVELLE VIE. MAIS IL LUI RESTE ENCORE BEAUCOUP DE CHEMIN À PARCOURIR POUR DEVENIR NINJA...
ナンバー
2e ÉPISODE : KONOHA-MARU !

TU VEUX VRAIMENT QUE...
... JE TE PHOTOGRAPHIE AVEC UNE TÊTE PAREILLE ?!

OUAIS ! OUAIS ! ALLEZ HOP !!

COMME TU VEUX...
frrt frrt

MAIS NE VIENS PAS TE PLAINDRE APRÈS !
ON Y VA !
CHEESE !
clap

WHAAM
ガシャ
KSCHAC
2e ÉPISODE :
KONOHA-MARU !

HE HE HE
FLAP
PROFIL
Passe-temps préféré : faire des farces
Plat favori : nouilles (en particulier celles au miso)
CERTIFICAT DE NINJA

...

PAS MAL, LA PHOTO, HEIN ?! MOI, J'ADORE !!!
J'AI MIS TROIS HEURES AVANT DE TROUVER LA BONNE POSE !

MAIS ÇA EN VALAIT LA PEINE ! LE RÉSULTAT EST TOP !
C'EST MON PETIT CÔTÉ ARTISTE VISION-NAIRE QUI RES-SORT ET...
TU VAS REFAIRE UNE PHOTO COR-RECTE !
GlOUPS

À PROPOS, QU'AS-TU FAIT DE TON BANDEAU FRONTAL ?
J'AI PEUR DE L'ABÎMER, JE NE LE METTRAI QUE DEMAIN POUR LA RÉUNION D'INFORMA-TION.

BON... EN TOUT CAS, CE CERTIFICAT DE NINJA EST UN DOCUMENT IMPORTANT POUR LES ARCHIVES DU VILLAGE...
POUR TOI AUSSI, C'EST UN DOCUMENT TRÈS PRÉCIEUX. QU'EST-CE QUI T'A PRIS D'Y COLLER UNE PHOTO SI AFFREUSE ?!
BEN... J'SAVAIS PAS, MOI ! J'Y PIGE RIEN À TOUTES CES HISTOIRES DE PAPIERS !

Roll

!

EN GARDE, VIEUX CROULANT !!
FWAP !
!!
DÉCIDÉMENT, PAS UNE SECONDE DE RÉPIT...
PFFF
OH NON ! VOILÀ QU'IL RECOMMENCE !!
TATADAM
AH !
FWSSh
toc
...
Bom
AOUUCH !!!

GRRR
ムっ…
AÏE !! C'ÉTAIT UN PIÈGE, HEIN ?!
FWAP !
ばっ
KONOHA-MARU

TOUT VA BIEN ?! VOUS NE VOUS ÊTES PAS FAIT MAL ?!
RAS-SUREZ-VOUS, CE N'ÉTAIT PAS UN PIÈGE !
EBISU, LE PROFESSEUR PARTICULIER DE KONOHA-MARU

QU'EST-CE QUI LUI PREND À CE MIOCHE... ?
HMM !
OH ! CE GARÇON

scruff
ギロ。
PAS DE DOUTE... C'EST BIEN LE FAMEUX RENARD À NEUF QUEUES ...
JE DÉTESTE LES RACAILLES DANS SON GENRE...

C'EST TOI, HEIN ?! C'EST TOI QUI M'AS TENDU UN PIÈGE, AVOUE !
QU'EST-CE QUE TU RACONTES, MINUS ! TU AS JUSTE TRÉBUCHÉ TOUT SEUL, COMME UN ÂNE !
Gnap
!!

ÔTE TES SALES PATTES, NARUTO !!!
CE JEUNE GARÇON EST LE PETIT-FILS DU MAÎTRE HOKAGE !!

...

ALORS, T'OSES PLUS ME FRAPPER MAINTE-NANT, HEIN ?!
À CHAQUE FOIS, C'EST LA MÊME CHOSE : DÈS QU'ILS APPREN-NENT QUE JE SUIS LE PETIT-FILS DU MAÎTRE HOKAGE, ILS CHANGENT D'ATTITUDE.

PEUH... LUI AUSSI, C'EST UNE POULE MOUILLÉE COMME LES AUTRES, IL N'OSERA PAS LEVER LA MAIN SUR MOI.
whaaa

PETIT-FILS OU PAS, RIEN À FAIRE !!!
AOUCH!!!
DONG
PRENDS ÇA, MORVEUX !!!

QUOiiii !!!
iL NE L'A PAS VOLÉ ...

HMM
stup
stup

ARRÊTE DE ME SUIVRE, BON SANG !!
FWAP
ET C'EST PAS LA PEINE DE TE CACHER ! Y A LONGTEMPS QUE TU ES GRILLÉ ! IDIOT !

HMM
HE HE HE... ÇA N'A PAS DÛ ÊTRE FACILE DE ME REPÉRER !!!
TA VIGILANCE EST À LA HAUTEUR DE TA RÉPUTATION !!!

POUR LA PEINE... JE TE FAIS LA FAVEUR DE DEVENIR TON DISCIPLE.
HEIN ?
FWIP
MAIS EN ÉCHANGE...

GWAAAH
JE VEUX QUE TU M'APPRENNES LA TECHNIQUE "SEXY-MÉTA" GRÂCE À LAQUELLE TU AS TERRASSÉ GRAND-PÈRE !!

S'IL TE PLAÎT, MAÎTRE !!!
!
M... MAÎTRE ...?

ÇA FAIT DÉJÀ VINGT FOIS QUE KONOHAMARU M'ATTAQUE AUJOURD'HUI.
ZUT ! C'EST LA CATASTROPHE !!!
AH ! LA LA... TOUTE UNE ÉDUCATION À REFAIRE !
FWOOOSH

JE CROIS BIEN QU'IL A PRIS NARUTO EN FILATURE.
scrutt scrutt
キョロ キョロ
AH ! KONOHAMARU A DISPARU ! OÙ EST-IL PASSÉ ?!

LOUPE !!!
BLOF

POURVU QU'IL NE LUI APPRENNE PAS DE TECHNIQUES FARFELUES...
S'IL SYMPATHISE AVEC CE GARNEMENT DE NARUTO, JE N'AI PAS FINI D'EN BAVER...

FWIIISH
C'EST SIMPLE ! "POITRINE DÉVELOPPÉE - TAILLE DE GUÊPE - FESSES REBONDIES" ! VAS-Y !!
OK ! MAÎTRE !!!
MÉTAMORPHOSE !!!

PAS COMME ÇA, VOYONS ! PENSE PLUS AUX FORMES ! AUX PROPORTIONS !
D'ACCORD, MAITRE !!

JE SUIS UN PROFESSEUR D'ÉLITE, J'AI DÉJÀ FORMÉ PLUSIEURS PRÉTENDANTS AU TITRE DE HOKAGE !
JE NE LAISSERAI PAS CE VAURIEN DE NARUTO DÉVERGONDER MON ÉLÈVE !
SCRUTT

LE MEILLEUR MOYEN DE PROGRESSER EST DE SUIVRE MON ENSEIGNEMENT.
JE LES TIENS !
FWUSH !
JE FERAI DE VOUS UN HOKAGE, JEUNE MAITRE !!!

AU FAIT...

TU NE M'AS PAS ENCORE EXPLIQUÉ POURQUOI...
... TU EN VEUX TELLEMENT À TON GRAND-PÈRE...
!

C'EST GRAND-PÈRE QUI M'A BAPTISÉ KONOHA-MARU...
EN RÉFÉRENCE AU NOM DU VILLAGE.

C'EST UN NOM PLUTÔT FACILE À RETENIR, MAIS POURTANT...
... PERSONNE NE M'APPELLE COMME ÇA !
!

POUR TOUT LE MONDE, JE NE SUIS QUE...
"LE PETIT-FILS DU MAITRE HOKAGE"

IL N'Y A PERSONNE QUI ME RECONNAIT POUR MOI-MÊME.
J'EN AI MARRE !
VOILÀ POURQUOI JE VEUX OBTENIR LE TITRE DE HOKAGE DÈS MAINTENANT !
...

PAUVRE IDIOT ! BIEN SÛR QUE PERSONNE NE TE RECONNAÎT POUR TOI-MÊME, TU N'ES QU'UN GAMIN !
HEIN ?!

UN GOSSE COMME TOI N'A AUCUNE CHANCE DE DEVENIR HOKAGE !
ZAM !
バッ!
QUOI ?!

CE N'EST PAS SI SIMPLE QUE ÇA, FIGURE-TOI...
!
C'EST FACILE DE DIRE QUE TU VEUX LE TITRE DE HOKAGE MAIS...
... SI TU Y TIENS VRAIMENT, ALORS...

ALORS QUOI ?!

ALORS, IL FAUDRA D'ABORD ME SURPASSER !!

FWUP
スッ
JE VOUS CHERCHAIS, MAITRE !
QU'Y A-T-IL, IRUKA ?

JE VOULAIS M'ASSURER QUE NARUTO A BIEN DÉPOSÉ SON CERTIFICAT DE NINJA EN TEMPS ET EN HEURE.
OUI, IL L'A FAIT.
テクテク
tap tap

J'AI ESSAYE DE METTRE LES CHOSES AU POINT AVEC LUI, HIER SOIR, À L'ÉCHOPPE DE NOUILLES, MAIS VOUS LE CONNAISSEZ !
IL BOUILLAIT D'IMPATIENCE À L'IDÉE D'ÊTRE NINJA, ET DE POUVOIR ENFIN PROUVER SA VALEUR AUX HABITANTS DU VILLAGE !
HE HE HE

flap

CE NE SERA POURTANT PAS FACILE POUR NARUTO DE RÉALISER SON RÊVE...
HMM ?

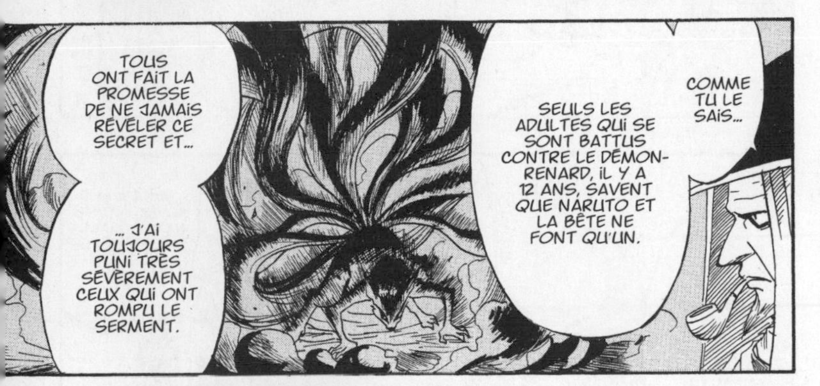
COMME TU LE SAIS...
SEULS LES ADULTES QUI SE SONT BATTUS CONTRE LE DÉMON-RENARD, IL Y A 12 ANS, SAVENT QUE NARUTO ET LA BÊTE NE FONT QU'UN.
TOUS ONT FAIT LA PROMESSE DE NE JAMAIS RÉVÉLER CE SECRET ET...
... J'AI TOUJOURS PUNI TRÈS SÉVÈREMENT CEUX QUI ONT ROMPU LE SERMENT.

DE CE FAIT, LES ENFANTS NE SONT PAS AU COURANT.
C'EST ENCORE UNE CHANCE POUR NARUTO.

LE 4e HOKAGE VOULAIT QUE TOUT LE MONDE ADMIRE NARUTO COMME NOTRE HÉROS. JUSTE APRÈS AVOIR EMPRISONNÉ LA BÊTE, AVANT DE SUCCOMBER, C'EST LE DERNIER SOUHAIT QU'IL A FORMULÉ...
fwiiii
...
UN HÉROS ?

LE 4e HOKAGE A SCELLÉ L'ESPRIT DU DÉMON-RENARD DANS LE NOMBRIL D'UN NOUVEAU-NÉ DONT ON VENAIT TOUT JUSTE DE COUPER LE CORDON OMBILICAL.
NARUTO A SAUVÉ LE VILLAGE EN RECEVANT LA BÊTE EN LUI.

HÉLAS, LES ADULTES NE L'ONT JAMAIS CONSIDÉRÉ DE CETTE FAÇON.

TOUT AU CONTRAIRE, LA RÉPULSION QU'ILS ÉPROUVENT ENVERS NARUTO EST SI FORTE...
... QU'ELLE S'EST PROGRESSIVEMENT TRANSMISE À LEURS ENFANTS...

IRUKA...
LE SAIS-TU?
QUOI ?

FACE À QUELQU'UN POUR QUI L'ON N'ÉPROUVE QUE DE L'AVERSION ET DU MÉPRIS...
LES YEUX D'UN HOMME DEVIENNENT...

EXTRÊMEMENT...
FROIDS ET CRUELS.

JE VOUS AI RETROUVÉ !
!!
AH !!

PEUH !
CE SALE RENARD...
SCRUTT

... ENCORE CE REGARD HAINEUX...
QU'EST-CE QU'ILS ONT TOUS À ME REGARDER COMME ÇA...
stap

ASSEZ PERDU DE TEMPS, JEUNE MAÎTRE ! IL FAUT RENTRER À PRÉSENT !
ftap
PAS QUESTION ! JE VAIS TERRASSER PÉPÉ ET DEVENIR LE HOKAGE ! TOUT DE SUITE ! MAINTENANT ! NA ! LAISSEZ-MOI TRANQUILLE !!

ENCORE SES HISTOIRES DE HOKAGE...
MÉTAMORPHOSE !!!
ZOM
POUR PRÉTENDRE AU TITRE DE HOKAGE, LES VERTUS QUE VOUS DEVEZ POSSÉDER SONT LA SAGESSE, LA LOYAUTÉ, LA DROITURE, LE DISCERNEMENT, L'ABNÉGATION, LA PIÉTÉ, LA PERSPICACITÉ, ET LE RESPECT DES AÎNÉS !
DE PLUS, IL FAUT AUSSI MAÎTRISER UN BON MILLIER DE TECHNIQUES AVANT DE... HEIN ?
TAP TAP

POF !
AAAAH
...
QUOI ?! ÇA N'A PAS MARCHÉ !!!
BOM
ATTENTION LES YEUX ! SEXY-MÉTA !!!
BOM
FWIIISH !
KYAAAA !
QU... QU...
QUELLE HORREUR ! QUELLE VULGARITÉ !!!
GRRR
SACHEZ QUE JE SUIS UN GENTLEMAN !! CE GENRE DE TECHNIQUES OBSCÈNES N'A AUCUN EFFET SUR MOI !!
...
J'Y SUIS COMPLÈTEMENT INSENSIBLE !!!
MULTI-CLONAGE !!!
ÇA SUFFIT COMME ÇA, JEUNE MAÎTRE ! CE DIABLE DE NARUTO EXERCE MANIFESTEMENT...
... UNE MAUVAISE INFLUENCE SUR VOUS !
HIIIISSE
LA MEILLEURE FAÇON POUR VOUS DE DEVENIR HOKAGE...
... C'EST DE SUIVRE MON ENSEIGNEMENT À LA LETTRE !!
ALLEZ HOP ! ON RENTRE !!!
FWAP
FWAP
LÂCHEZ-MOI !
SKRRRSHH

ZAM ZAAM
!
!

WHAAOU!!!
TROP CLASSE, CETTE TECHNIQUE !!

PEUH !
CETTE TECHNIQUE ÉTAIT PEUT-ÊTRE EFFICACE CONTRE MIZUKI, MAIS CONTRE MOI, ELLE NE VAUT RIEN...
RIDICULE ! POUR QUI ME PRENDS-TU ! JE NE SUIS PAS UN PROFESSEUR D'ÉLITE POUR RIEN...
FWSHH

MÉTAMORPHOSE !!

!
HMM ?

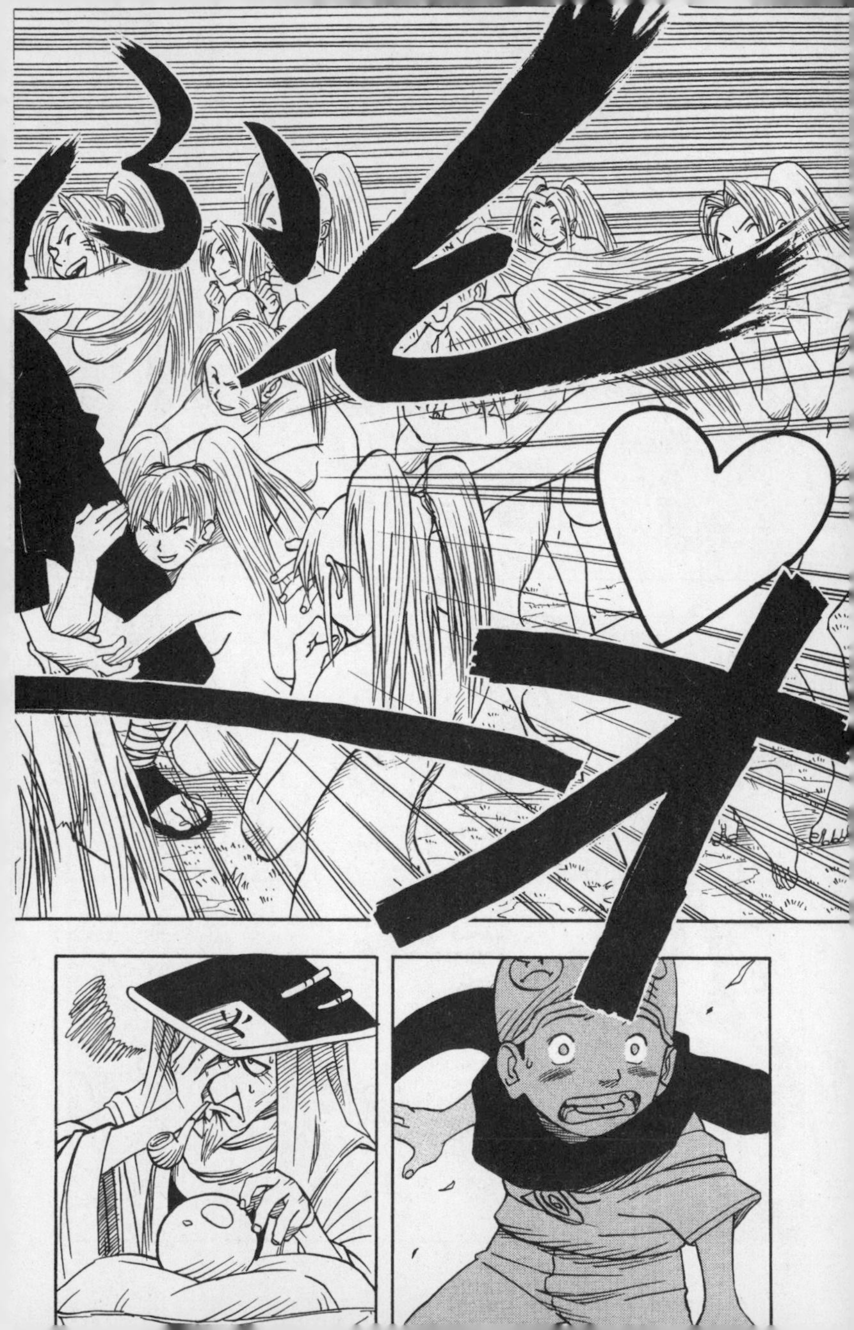

FU FU
FU ?
WHAOOOO
BWOOOM
toc

CELLE-CI, JE L'AI BAPTISÉE...
"TECHNIQUE DU HAREM" !!
POF

IL A DOUBLÉ LA TECHNIQUE DE CLONAGE AVEC SA SEXY-MÉTA...
IL A VRAIMENT L'ART D'INVENTER DES TECHNIQUES FARFELUES... CELLE-CI EST REDOUTABLE : MÊME MOI, J'Y SUCCOMBERAIS...

ZUT ! ZUT ! ET ZUT ! JE N'AI MÊME PAS ÉTÉ CAPABLE DE ME DÉBARRASSER DU PROFESSEUR EBISU !!

Y EN A MARRE ! JE VEUX QUE LES GENS RECONNAISSENT MA VALEUR ! POURQUOI EST-CE QUE ÇA NE SE PASSE JAMAIS COMME JE VEUX !!
C'EST PAS SI SIMPLE, IMBÉCILE!
POM

LE HOKAGE EST LE PLUS FORT DES NINJAS, CELUI QUE LE VILLAGE TOUT ENTIER RESPECTE !
TU NE CROIS QUAND MÊME PAS QU'ON PEUT OBTENIR CE TITRE SI FACILEMENT !
OUILLE !

TU RENCONTRERAS DE NOMBREUX OBSTACLES ET...
... TU CONNAÎTRAS DE NOMBREUX MOMENTS DE TRISTESSE ET D'ANXIÉTÉ.
HAA

MOI, PAR EXEMPLE, J'AI TROUVÉ QUELQU'UN QUI...
...RECONNAÎT MA VALEUR ET M'ACCEPTE COMME JE SUIS...

... MAIS POUR EN ARRIVER LÀ, J'AI D'ABORD DÛ TRAVERSER DE TERRIBLES ÉPREUVES !

TU FERAIS BIEN DE T'Y RÉSOUDRE.
STAP
ME RÉSOUDRE À QUOI...?

SI TU VEUX VRAIMENT DEVENIR LE HOKAGE...
... CELUI QUE TOUT LE MONDE RESPECTE...

!

LA ROUTE SERA LONGUE !
ET IL N'Y A PAS DE RACCOURCI !!!

SI TU TIENS VRAIMENT À OBTENIR LE TITRE DE HOKAGE ...
... IL FAUDRA D'ABORD ME SURPASSER !!
PEUH !!!
NON MAIS, POUR QUI TU TE PRENDS, POUR ME DONNER DES LEÇONS !
...
JE NE VEUX PLUS DE TOI POUR MAÎTRE !!!
...

DORENAVANT...
...NOUS SOMMES RIVAUX !
HÉ, HÉ HÉ
HÉ HÉ

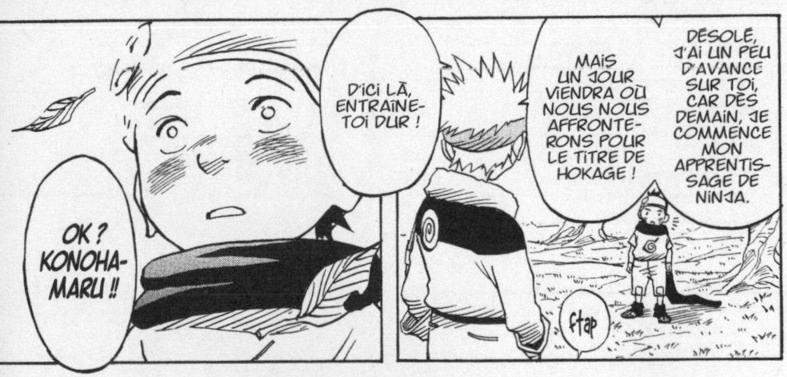
DÉSOLÉ, J'AI UN PEU D'AVANCE SUR TOI, CAR DÈS DEMAIN, JE COMMENCE MON APPRENTISSAGE DE NINJA.
MAIS UN JOUR VIENDRA OÙ NOUS NOUS AFFRONTERONS POUR LE TITRE DE HOKAGE !
D'ICI LÀ, ENTRAÎNE-TOI DUR !
ftap
OK ? KONOHAMARU !!

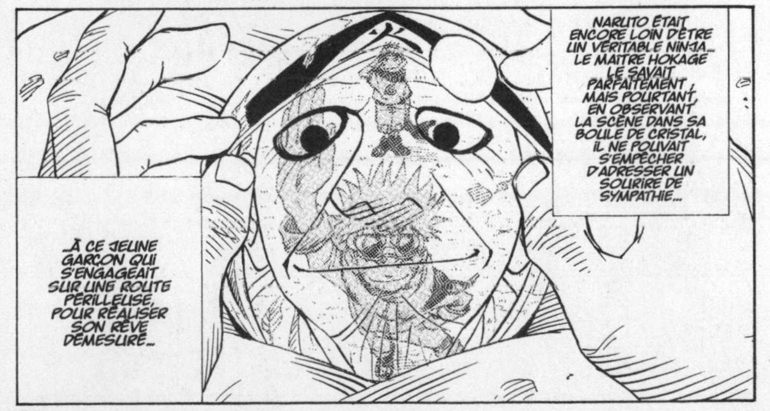
NARUTO ÉTAIT ENCORE LOIN D'ÊTRE UN VÉRITABLE NINJA... LE MAÎTRE HOKAGE LE SAVAIT PARFAITEMENT, MAIS POURTANT, EN OBSERVANT LA SCÈNE DANS SA BOULE DE CRISTAL, IL NE POUVAIT S'EMPÊCHER D'ADRESSER UN SOURIRE DE SYMPATHIE...
...À CE JEUNE GARÇON QUI S'ENGAGEAIT SUR UNE ROUTE PÉRILLEUSE, POUR RÉALISER SON RÊVE DÉMESURÉ...

POCHETTES À ROULEAU

CES POCHETTES SONT DISPOSÉES SUR LA POITRINE DE LA VESTE DU NINJA.

ELLES S'OUVRENT PAR LE BAS, DE MANIÈRE À CE QUE LE ROULEAU TOMBE DANS LA PAUME DE LA MAIN.

ON PEUT AUSSI Y METTRE DES MÉDICAMENTS, OU DIFFÉRENTS PETITS ACCESSOIRES NINJAS.

BANDEAU FRONTAL

IL EST POSSIBLE DE L'ATTACHER DE DIFFÉRENTES MANIÈRES.

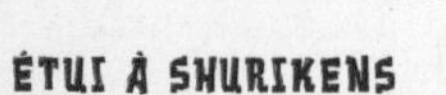

IL EST PLACÉ SUR LA CUISSE, JUSTE À LA BONNE HAUTEUR POUR POUVOIR SAISIR LES SHURIKENS TRÈS RAPIDEMENT.

Chack

3e ÉPISODE : SASUKE UCHIWA

PFWAAAA
Hnng
のび
Hnng
のび
Gnpp
Gnpp
ROUGE
MONT-DE-PIÉTÉ
POISSON

LAIT

TOUJOURS GAGNER !
PRENDRE LA VIE DU BON CÔTÉ !
モグ
crunch
crunch
モグ

ゴク
Gloub
ゴク
Gloub
VACHE

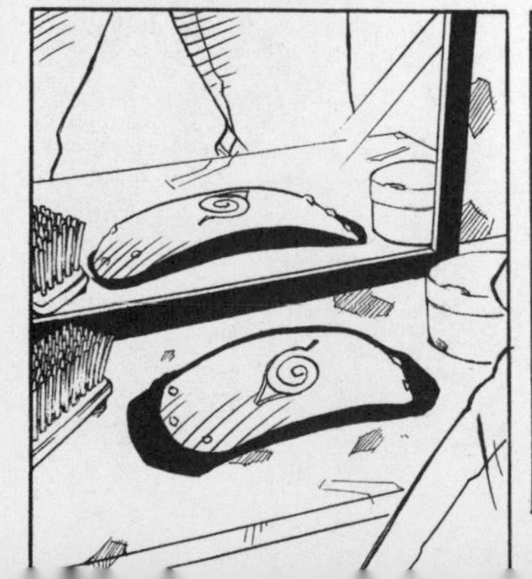

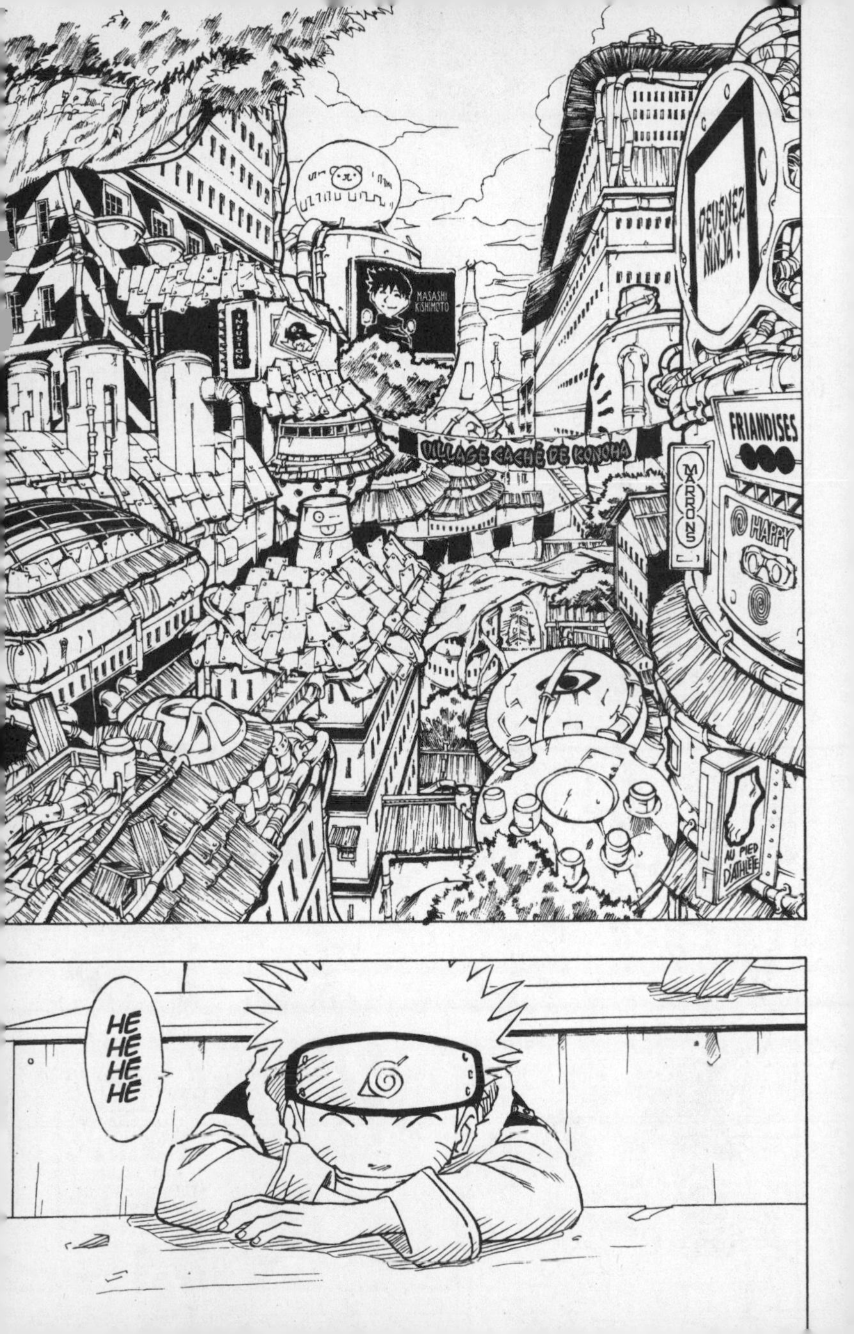
DEVENEZ NINJA !
FRIANDISES
MARRONS
HAPPY
AU PIED D'ATHLÈTE
VILLAGE CACHÉ DE KONOHA
MASASHI KISHIMOTO
INFUSIONS
HE HÉ HÉ HÉ

TIENS ?
QU'EST-CE QUE TU FABRIQUES ICI, NARUTO ??
LA RÉUNION D'INFORMATION, C'EST SEULEMENT POUR CEUX QUI ONT RÉUSSI L'EXAMEN.
T'ES BIGLEUX OU QUOI ? TU NE VOIS PAS CE BANDEAU SUR MON FRONT !

HÉ ! VOUS DEUX ! POUSSEZ-VOUS, JE VEUX M'ASSEOIR LÀ !

!
oh ?
SA... SAKURA !
ポッ ♡

SAKURA HARUNO : UNE JOLIE FILLE QUI NE ME LAISSE PAS INSENSIBLE...

BOM-BOM
SE POURRAIT-IL...
QU'ELLE VEUILLE S'ASSEOIR À CÔTÉ DE MOI ?
DU VENT !!!
DÉGAGE, NARUTO ! JE VEUX LA PLACE LÀ-BAS !
HEIN ?

fwp
ZOM !
J'Y CROIS PAS... L'IDOLE DE TOUTES LES FILLES DE LA CLASSE !
AH !
SASUKE UCHIWA :
IMPASSIBLE EN TOUTES CIRCONSTANCES. JE NE PEUX PAS LE PIFFER, CE GARS-LÀ !
ZAM !
T'AS UN PROBLÈME ?!
QU'EST-CE QUI T'ARRIVE ! TU M'CHERCHES LÀ ?!
BLOM !
SASUKE ?
JE PEUX ME METTRE À CÔTE DE TOI ?! ♥
HUMPF!!!

POURQUOI ELLE S'ASSIED À CÔTE DE SASUKE, CELLE-LÀ !
HA HA HA HA
ハハハ
スースー
Rompfff Pshhhh
GRRR
ムッス！
スス…
fwip
ALORS, J'AI BIEN VISÉ ET...
ガヤ Bla Bla
NON, ÇA TIENT PAS LA ROUTE, CES TRUCS-LÀ !
ガヤ Bla Bla
OUAIS, T'AS RAISON !
ÉQUIPE

AUJOURD'HUI, J'EMBALLE SASUKE !
ポッ♡
fu fu ?
SAKURA EN SON FOR INTÉRIEUR
C'EST MOI QUI LUI ARRACHERAI SON PREMIER BAISER, ET PERSONNE D'AUTRE !
YEAH !!
しゃんなろー!!

fwp スス…
fwp スス…
ムムー
Grrr
SAKURA N'A D'YEUX QUE POUR LUI...

JE ME DEMANDE CE QU'ELLE LUI TROUVE...
ÇA ME DÉPASSE...

SCRUTT

HÉ ! NARUTO !!!
N'APPROCHE PAS TA SALE TÊTE DE SASUKE !!!

DÉGAGE !!!
PELIH !

VAS-Y SASUKE ! COLLE-LUI UNE RACLÉE !
OUAIS ! VAS-Y !
Pfuit !
VOUM !

BOM
HUM ?
NON ?! SÉRIEUX ??

OUPS ! DÉSOLÉ, JE NE L'AI PAS FAIT EXPRÈS !

AH...

SMACK !
BAKOOM !!

NARUU-TOOO ! JE VAIS TE TUER !!
BWEUUUUUUH ! MA BOUCHE SE PUTRÉFIE !!
GRR
GRR
BEUUH!!!
OUPS... C'EST DE MA FAUTE ?
BEUUH!!!
AH ! LA LA !

AH !
JE SENS DES ONDES NÉFASTES...

NARUTO... T'ES VRAIMENT ...
CA... CALME-TOI, SAKURA ! C'ÉTAIT UN ACCIDENT !
GRRR
AH
AH

... GONFLANT !!!
CRAK
ポキ
CRAK
パキ

HEIN ?

PShhh
PShhh
FÉLICITATIONS À TOUS ! À COMPTER D'AUJOURD'HUI, VOUS ÊTES DES NINJAS, OU PLUTÔT...
... DES ASPIRANTS-NINJAS.
DITES-VOUS BIEN QUE LES CHOSES SÉRIEUSES NE FONT QUE COMMENCER !
GNUP

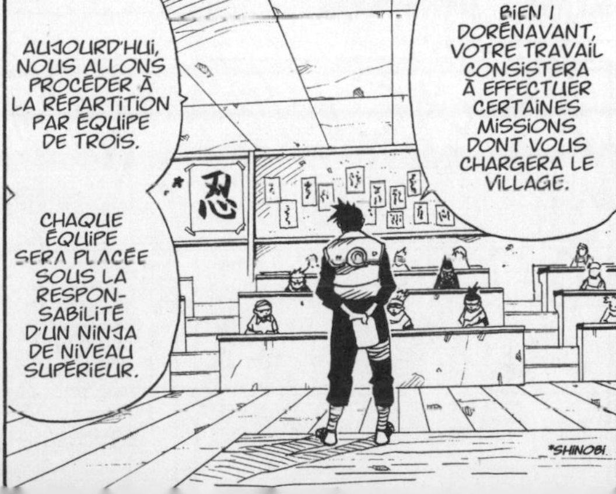
BIEN ! DORÉNAVANT, VOTRE TRAVAIL CONSISTERA À EFFECTUER CERTAINES MISSIONS DONT VOUS CHARGERA LE VILLAGE.
AUJOURD'HUI, NOUS ALLONS PROCÉDER À LA RÉPARTITION PAR ÉQUIPE DE TROIS.
CHAQUE ÉQUIPE SERA PLACÉE SOUS LA RESPONSABILITÉ D'UN NINJA DE NIVEAU SUPÉRIEUR.
忍
*SHINOBI.

IL SERA VOTRE PROFESSEUR ET...
... VOUS DEVREZ OBÉIR À SES INSTRUCTIONS.

PFF... UNE ÉQUIPE DE TROIS...
ÇA FAIT DEUX GÊNEURS EN TROP...

SUPER ! POURVU QUE...
... JE SOIS DANS LA MÊME ÉQUIPE QUE SASUKE !!

L'ESSENTIEL, C'EST D'ÊTRE AVEC SAKURA.
APRÈS, N'IMPORTE QUI FERA L'AFFAIRE... DU MOMENT QUE CE N'EST PAS SASUKE !

AFIN D'ÉQUILIBRER LES FORCES, LE CONSEIL DES PROFESSEURS A DÉJÀ FORMÉ LES ÉQUIPES.
HEiiN ?!

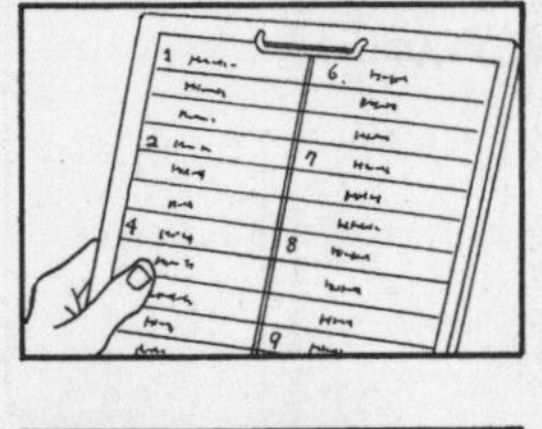

ENSUITE, C'EST L'ÉQUIPE NUMÉRO 7.
SAKURA HARUNO ...
NARUTO UZUMAKI !

YEAH !
ヤッター!!
BLOM
ガク...
ET... SASUKE UCHIWA

YAHOOO !
しゃーんなろー!!
BLOM
ガク!

PROFESSEUR IRUKA ! TOUT LE MONDE SAIT BIEN QUE JE SUIS L'ÉLÈVE LE PLUS DOUÉ !
POURQUOI EST-CE QUE JE ME RETROUVE DANS LA MÊME ÉQUIPE QUE CE FRIMEUR ?!

... PARMI LES 27 ÉLÈVES DIPLÔMÉS DE CETTE ANNÉE, C'EST SASUKE QUI A OBTENU LES MEILLEURES NOTES...
ALORS QUE TOI, NARUTO, TU ES BON DERNIER !
POUR ÉQUILIBRER LES FORCES DES ÉQUIPES, ON EN ARRIVE FATALEMENT À CE RÉSULTAT.
TU PIGES ?

NARUTO ! NE TOUCHE PAS À SASUKE !!
RÉPÈTE ÇA, POUR VOIR !
PFF

Br-r
ピク
Br-r
ピク
PAUVRE CANCRE !
GRRRR

HMM...
TÂCHE DE NE PAS TROP FAIRE DE BOURDES...

BON... JE PENSE QUE ÇA DEVRAIT ALLER COMME ÇA...
NARUTO DEVRAIT BIEN S'EN TIRER...
BAM
BAM BAM
ポカ ポカ
WHAAAA!
うわあああ

CET APRÈS-MIDI, JE VOUS PRÉSENTERAI VOS PROFESSEURS.
EN ATTENDANT, VOUS AVEZ QUARTIER LIBRE !

LA MAISON DE L'ARC-EN-CIEL
MAUDIT SASUKE !
ET PUIS SAKURA QUI ME DÉTESTE...

AH ! LA LA...
QUELLE GUIGNE !
Y EN A MARRE !
JE NE SUIS VRAIMENT PAS VERNI...

Hé Hé
J'AI UNE IDÉE...

Crunch Crunch

LE SEUL MOMENT OÙ IL RELÂCHE SA VIGILANCE, C'EST QUAND IL DÉJEUNE...
TOC

FWUSH

HUUMPF!!!
FWPP

BLIM
NA-RU-TO ! QU'EST-CE QUE...
TIENS-TOI UN PEU TRANQUILLE !
BOUM
BLAM
FWIIIIISHH

TOP
FWSH
ÇA LUI APPRENDRA...

HAA...

JE NE SUIS PAS ASSEZ SEXY POUR LE SÉDUIRE...
MES SEINS SONT TOUT PLATS... COMME MES FESSES ! LA SEULE PARTIE DE MON CORPS QUI EST PLUS DÉVELOPPÉE QUE CHEZ LES AUTRES FILLES, C'EST LE FRONT...

COMMENT FAIRE POUR QU'IL S'INTÉRESSE À MOI...
CE FRONT SI LARGE ME COMPLEXE SÉRIEUSEMENT...
!

JE RÊVE !

SASUKE ME REGARDE !!!

KYA
IL M'OBSERVE MÊME... SON REGARD EST SI PERÇANT QUE...

... J'AI L'IMPRESSION QU'IL EST EN TRAIN DE LIRE EN MOI...

SAKURA… TU SAIS QUE TON GRAND FRONT EST TRÈS ATTIRANT.
JE NE SAIS PAS CE QUI ME RETIENT DE L'EMBRASSER…
N'HÉSITE PAS, SASUKE ! C'EST UNE SURFACE SPÉCIALEMENT DESTINÉE À RECEVOIR TES BAISERS ♡

ス… tap
AH !

HAAA…
BLOM
JE NE SUIS PLUS UNE ENFANT… IL FAUT QUE J'ARRÊTE DE CROIRE AUX CONTES DE FÉES…
ÇA NE PEUT PAS SE PASSER COMME ÇA…

BOUM BOUM !
ドキ！
SAKURA… TU SAIS QUE TON GRAND FRONT EST TRÈS ATTIRANT.
HEIN ?!

JE NE SAIS PAS CE QUI ME RETIENT DE L'EMBRASSER…

LE CONTE DE FÉES...
しゃーんなろー!!
SAKURA EN SON FOR INTÉRIEUR
YAHOOOO !!
... SE RÉALISE !!!

HA HA HA ! C'EST LE GENRE DE TRUC QUE DIRAIT NARUTO, PAS VRAI ?
BLOM
ガク…
fwiiish

SAKURA... IL Y A UNE QUESTION QUE J'AIMERAIS TE POSER...
QUOI ?
QUE PENSES-TU DE NARUTO ?

...

IL PREND UN MALIN PLAISIR À SE DRESSER EN TRAVERS DE MES HISTOIRES SENTIMENTALES...
ON DIRAIT QUE ÇA L'AMUSE DE ME FAIRE SOUFFRIR...

IL NE COMPREND ABSOLUMENT RIEN À CE QUE JE RESSENS...
CE N'EST QU'UN ENQUIQUINEUR DE PREMIÈRE !
MOI, TOUT CE QUE JE SOUHAITE, C'EST ATTIRER TON ATTENTION, SASUKE...

JE NE VEUX RIEN D'AUTRE...

"TOUT CE QUE JE SOUHAITE..."
"... C'EST ATTIRER TON ATTENTION, SASUKE"
POUR ÇA...
... JE FERAIS N'IMPORTE QUOI.
BOUM
ドキ
ズイ…
FWIP
PARCE QUE JE T'AIME...
BOUM
ドキ
BOUM
ドキ
BOUM
BOUM
ドキ
BOUM
BOUM
ドキ
BOUM
BOUM
ドキ
HUU ?
JE CROIS QUE J'AI ENFIN COMPRIS...
... POURQUOI JE SUIS AMOUREUX DE SAKURA ...
GNIIC
グググ
HNNG

HOMPF!!!
flp flp
ゴソゴソ
IL A UTILISÉ LA TECHNIQUE DE MÉTAMORPHOSE POUR PRENDRE MON APPARENCE...
QU'EST-CE QU'IL A DERRIÈRE LA TÊTE...

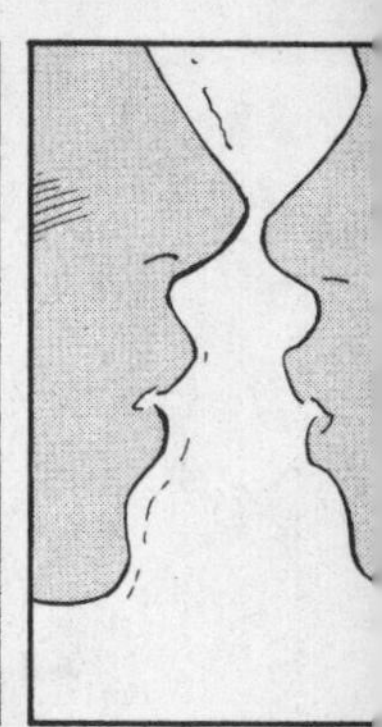

!!
HOUNG!!!
Brooooooo

?
Broooo
M... MON VENTRE ...

QUELQUE CHOSE NE VA PAS ?
C'EST BIEN LE MOMENT D'AVOIR LA DIARRHÉE !!!
ÇA... ÇA VA, JE REVIENS DANS DEUX MINUTES...

IL EST SI TIMIDE...
IL A SANS DOUTE BESOIN DE SE PRÉPARER PSYCHOLOGIQUEMENT AVANT DE M'EMBRASSER...

PFYUUU ! C'ÉTAIT MOINS UNE !
HAA
HAA
HAA
HAA
À CAUSE DE LA DOULEUR, J'AI BIEN FAILLI REPRENDRE SUBITEMENT MON APPARENCE !

AH... ELLE M'A ENCORE TRAITÉ "D'ENQUIQUINEUR"...
JE VOULAIS JUSTE M'ASSURER DE SES SENTIMENTS ET AU LIEU DE ÇA...
J'AI FAIT PASSER SASUKE POUR UN TYPE COOL...

OH ! ん !?
HE ! ATTENDS VOIR !

JE POURRAIS LA DÉGOÛTER DE SASUKE EN LE FAISANT PASSER POUR UN MUFLE...

Hi Hi Hi
TOUT N'EST PAS ENCORE PERDU.

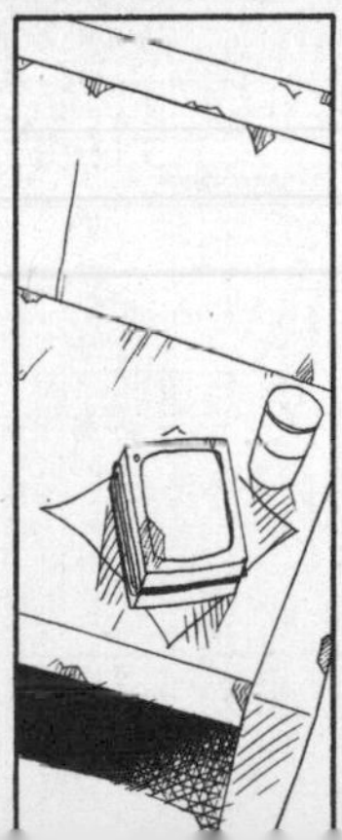

あ AH ! !!

TE REVOILÀ ENFIN, SASUKE ! TU N'AS PAS BESOIN D'ÊTRE SI TIMIDE AVEC MOI, TU SAIS !
TU ES PRÊT MAINTENANT ?
MOI, JE BRÛLE D'IMPATIENCE ! JE N'EN PEUX PLUS !

C'EST BIENTÔT L'HEURE DE REJOINDRE LES AUTRES.
OÙ EST PASSÉ NARUTO ?
HA HA HA... NE CHANGE PAS DE SUJET, S'IL TE PLAÎT...
GRRR
GRR
GRR
ON S'EN MOQUE DE NARUTO !

D'ABORD, IL NE FAIT QUE TE CHERCHER DES CROSSES !
FWP
FTAP

FTAP
FTAP

IL EST VRAIMENT TROP MAL ÉDUQUÉ...
CE BON À RIEN !
PEUH !

C'EST PAS ÉTONNANT, IL N'A PAS DE PARENTS !
ZAM

COMME IL EST TOUT SEUL, IL PEUT FAIRE TOUT CE QU'IL VEUT !
MOI, SI J'EN FAISAIS AUTANT, JE ME FERAIS INCENDIER PAR MES PARENTS !

Y A PAS À DIRE, IL A LA BELLE VIE ! PERSONNE POUR LUI PRENDRE LA TÊTE AVEC DES SERMONS !

fwushh
ザワ…
C'EST POUR ÇA QU'IL EST INCAPABLE DE SE CONTRÔLER, ET QU'IL N'EN FAIT TOUJOURS QU'À SA TÊTE !
TU AS PENSÉ À LA SOLITUDE ?
HEIN ?
C'EST BIEN PLUS DUR D'ÊTRE SEUL QUE DE SE FAIRE PASSER UN SAVON DE TEMPS EN TEMPS.
OH ! LA LA !
オロ! オロ!
QU... QU'EST-CE QUI TE PREND TOUT À COUP...
FRANCHEMENT, SAKURA...
T'ES LOURDE !

ÇA Y EST ! LA CRISE EST ENFIN PASSÉE !!!
RESTRICTION BUDGÉTAIRE : PAS PLUS DE 15 CM DE PAPIER PAR PERSONNE
J'ESPÈRE QUE SAKURA M'ATTEND TOUJOURS !
RII
RII
fwip
fwip

WOOSHH
HAA
HAA

AAH !!

ピタ!
STOP
QU'EST-CE QUE TU FAIS LÀ, TOI ?!

TU N'AS JAMAIS ENTENDU PARLER D'UNE TECHNIQUE NINJA POUR DÉNOUER LES LIENS ?
TÂCHE DE T'EN SOUVENIR LA PROCHAINE FOIS, PAUVRE CANCRE !
AH !
SKRRRSHH

...
"FRANCHEMENT, T'ES LOURDE..."

NARUTO AUSSI DOIT ME TROUVER LOURDE...
À PARTIR DE MAINTENANT...
J'ESSAIERAI D'ÊTRE PLUS GENTILLE AVEC LUI...

ALORS, C'EST ICI QU'HABITE NARUTO...
TOUT JUSTE.
LAIT

LA DATE LIMITE DE CONSOMMATION DE CETTE BRIQUE DE LAIT EST DÉPASSÉE DEPUIS LONGTEMPS...
WHUP
IL EST UN PEU ÉTOURDI, MAIS IL A UN BON POTENTIEL. JE PENSE QUE TU ES LE MIEUX PLACÉ POUR T'EN OCCUPER, TU SAIS COMMENT T'Y PRENDRE AVEC CE GENRE DE GAMINS.
AIT

AH, AU FAIT ! IL Y A AUSSI LE FAMEUX SASUKE DE LA FAMILLE UCHIWA DANS CETTE ÉQUIPE.
BONNE CHANCE !
ET BIEN ! ÇA PROMET ...!
C'EST NOTÉ, MAÎTRE.

LE DESSIN QUI FIGURE À DROITE
EST TIRÉ DU PREMIER MANGA QUE
J'AI ENVOYÉ AU MAGAZINE "JUMP",
IL S'INTITULAIT "KARAKURI".

C'EST AVEC CE MANGA QUE
J'AI REMPORTÉ UN PRIX
D'ENCOURAGEMENT DES
NOUVEAUX DESSINATEURS,
ORGANISÉ PAR "JUMP". C'EST
AINSI QUE J'AI FAIT MES
DÉBUTS DE MANGAKA.

JE SUIS TRÈS ATTACHÉ À CETTE
ŒUVRE QUI ME RAPPELLE BIEN
SÛR UNE FOULE DE SOUVENIRS.
MAIS QUAND MÊME, VOUS
NE TROUVEZ PAS QUE CE
PERSONNAGE POSSÈDE UN
REGARD À GLACER LE SANG ?

CE SECOND DESSIN EST ISSU DE
MON PREMIER MANGA PARU DANS
LES PAGES DE "JUMP". TOUJOURS
LE MÊME TITRE, "KARAKURI". HÉLAS,
ÇA A ÉTÉ UN ÉCHEC TOTAL !
LES LECTEURS N'ONT PAS
DU TOUT AIMÉ !

ENFIN, ÇA FAIT QUAND MÊME
UN SOUVENIR MALGRÉ TOUT...

4e ÉPISODE :
KAKASHI HATAKE !

CHIEN
ANGUILLE
HMM...

scrutt
キョロ
scrutt
キョロ
NARUTO ! TIENS-TOI UN PEU TRANQUILLE !

frtt
QU'EST-CE QU'IL FABRIQUE, NOTRE PROFESSEUR ?
IL EST EN RETARD ! IL NE RESTE PLUS QUE NOUS !

Gnn
PEUH !
TOUTES LES AUTRES ÉQUIPES SONT DÉJÀ PARTIES AVEC LEUR NOUVEAU PROF !
ET LE PROFESSEUR IRUKA NOUS A PLANTÉS LÀ !

NARUTO !! QU'EST-CE QUE TU FABRIQUES ENCORE ?!

Hi
Hi
Hi
STUC

ÇA LUI APPRENDRA À ÊTRE EN RETARD !!
PFFF...
ftop !
ザッ

TU VAS TE FAIRE GRONDER, JE TE PRÉVIENS !
J'ADORE CE GENRE DE FARCE !!
SAKURA EN SON FOR INTÉRIEUR
わくわく
HiHiHi

PEUH...
UN NINJA DE NIVEAU SUPÉRIEUR NE SE LAISSERA JAMAIS PRENDRE À UN PIÈGE SI ENFANTIN !

fwp
ス...

VLAM !
PAF
!

KYA AH AH AH AH !!!
IL S'EST FAIT AVOIR ! IL S'EST FAIT AVOIR !

PARDON, PROFESSEUR. C'EST NARUTO LE RESPONSABLE. J'AI ESSAYÉ DE L'EN EMPÊCHER MAIS IL NE M'A PAS ÉCOUTÉE...
OK !! OK !!
PARFAIT ! EN PLEIN DANS LE MILLE !

... NE ME DITES PAS QUE CE CHARLOT EST UN NINJA DE NIVEAU SUPÉRIEUR ...
IL A L'AIR CARRÉMENT INCOMPÉTENT...

HMM...
ÇA COMMENCE BIEN, LES ENFANTS.
LA PREMIÈRE IMPRESSION QUE VOUS ME DONNEZ EST...
AH AH AH

ZOM
... VRAIMENT TRÈS MAUVAISE.
...

BON... ON VA COMMENCER PAR LES PRÉSENTATIONS.
QUEL GENRE DE TRUCS VOUS VOULEZ SAVOIR ?
天*

*CIEL

CE QUE VOUS VOULEZ. CE QUE VOUS AIMEZ, CE QUE VOUS DÉTESTEZ ...
... VOS RÊVES POUR L'AVENIR, VOS LOISIRS, LES TRUCS CLASSIQUES, QUOI !

HÉ M'SIEUR ! HÉ M'SIEUR ! VOUS POURRIEZ PEUT-ÊTRE COMMENCER PAR VOUS, NON ?
C'EST VRAI ÇA... VOUS AVEZ L'AIR LOUCHE EN PLUS...

QUOI... MOI ?
ET BIEN, JE M'APPELLE KAKASHI HATAKE. CE QUE J'AIME ET CE QUE JE DÉTESTE, ÇA NE VOUS REGARDE PAS.
DES RÊVES POUR L'AVENIR... BOF... JE N'EN AI PAS BEAUCOUP.
QUANT À MES LOISIRS, ILS SONT DIVERS ET VARIÉS. VOILÀ.

SUPER ! ON EST BIEN AVANCÉS AVEC ÇA...
TOUT CE QU'ON A APPRIS, C'EST SON NOM...

ALLEZ ! À VOTRE TOUR, MAINTENANT ! ON COMMENCE PAR LA DROITE.

BEN MOI, C'EST NARUTO UZUMAKI !
J'ADORE LES NOUILLES INSTANTANÉES.
MAIS J'AIME ENCORE PLUS CELLES DU RESTO OÙ M'EMMÈNE DE TEMPS EN TEMPS LE PROFESSEUR IRUKA !

CE QUE JE DÉTESTE, C'EST LES TROIS MINUTES D'ATTENTE APRÈS AVOIR VERSÉ L'EAU CHAUDE DANS LE RÉCIPIENT.
MON RÊVE POUR LE FUTUR...
IL NE PENSE QU'À MANGER DES NOUILLES...

... C'EST DE SURPASSER TOUS LES HOKAGES !!
COMME ÇA, LE VILLAGE TOUT ENTIER SERA BIEN OBLIGÉ DE RECONNAÎTRE MON EXISTENCE !!

INTÉRES-SANT... IL A BIEN GRANDI...

MON PASSE-TEMPS FAVORI ...
C'EST DE FAIRE DES FARCES.

EN EFFET, J'AI VU ÇA...
AU SUIVANT !!!

SASUKE UCHIWA. IL Y A PLEIN DE CHOSES QUE JE DÉTESTE, MAIS TRÈS PEU QUE J'AIME.

MON RÊVE POUR L'AVENIR... JE PRÉFÈRE LE GARDER POUR MOI.

DANS L'IMMÉDIAT, J'AI PLUTÔT UN OBJECTIF : RÉTABLIR L'HONNEUR DE MA FAMILLE...

...ET TUER UN CERTAIN HOMME.

WHAOU...♡

J'ESPÈRE QU'IL NE PARLE PAS DE MOI...

...
COMME DE JUSTE...

BIEN...
ET POUR FINIR, À LA DEMOISELLE...

JE M'APPELLE SAKURA HARUNO. CE QUE J'AIME... ENFIN...
... CELUI QUE J'AIME, C'EST...
scrtt
チラ...
HMM... JE NE SAIS PAS SI JE PEUX DIRE MES RÊVES POUR L'AVENIR... IL EST UN PEU TÔT...

AAAAAAH
ガーン
scrutt scrutt
チラ チラ
MES LOISIRS SONT...

KYAAAAA!!!
...

EN TOUT CAS...
... JE DÉTESTE NARUTO !!!

LES FILLES DE CET ÂGE SONT...
... PLUS INTÉRESSÉES PAR LE GRAND AMOUR QUE PAR LE NINJUTSU...

OK !!

ÇA SUFFIT POUR LES PRÉSENTATIONS.
DÈS DEMAIN, NOUS COMMENCERONS LES MISSIONS.

YEAH !!!
TOP !
DES MISSIONS ! DES MISSIONS !
YOUPI !
わくわく
DE QUEL GENRE DE MISSIONS ON SE CHARGE ?!
YOUPI !

POUR COMMENCER, NOUS ALLONS FAIRE UN PETIT EXERCICE, JUSTE TOUS LES QUATRE.

C'EST QUOI ?
C'EST QUOI ?

UNE ÉPREUVE DE SURVIE.

UNE ÉPREUVE DE SURVIE ?
...
À QUOI RIME CETTE ÉPREUVE ? ON NE DEVAIT PAS REMPLIR DES MISSIONS ?
DES ÉPREUVES, ON EN A DÉJÀ PASSÉ PLEIN À L'ÉCOLE !

CE N'EST PAS UNE ÉPREUVE ORDINAIRE.
C'EST MOI QUE VOUS DEVREZ AFFRONTER.
?

ÇA ALORS ! ÇA ALORS !!!
C'EST QUOI, AU JUSTE ?

...
HI HI HI...

QU'EST-CE QUI VOUS FAIT RIRE COMME ÇA, MAÎTRE KAKASHI ?

OH... C'EST RIEN... J'IMAGINAIS JUSTE LES TRONCHES QUE VOUS ALLEZ TIRER...
... QUAND JE VOUS AURAI EXPLIQUÉ LES ENJEUX DE CETTE ÉPREUVE !
LES EN-JEUX ?
QUELS ENJEUX ?
SUR LES 27 ÉLÈVES DIPLÔMÉS DE CETTE ANNÉE, 9 D'ENTRE EUX, SEULEMENT, POURRONT DEVENIR ASPIRANTS-NINJAS.
LES 18 RESTANTS DEVRONT RETOURNER À L'ÉCOLE.
AUTREMENT DIT, IL S'AGIT D'UNE ÉPREUVE HYPER-SÉLECTIVE DONT LE TAUX D'ÉCHEC EST SUPÉRIEUR À 66 % !
gloups
VOUS DEVRIEZ VOIR VOS TÊTES ! ELLES SONT EXTRA !
AH ! AH ! AH !
...

GWAAA !
C'EST COMPLÈTEMENT DÉBILE !
POURQUOI S'ÊTRE DONNÉ TANT DE MAL, ALORS !
CE FOUTU DIPLÔME NE SERT DONC À RIEN ?!
AH, CE DIPLÔME...
C'EST JUSTE UNE SORTE DE PRÉ-SÉLECTION QUI PERMET DE DÉTERMINER QUELS ÉLÈVES ONT UNE CHANCE DE DEVENIR ASPIRANTS.
QUOI ?!
C'EST TOUT ?!
TRÊVE DE BAVARDAGE ! C'EST MOI QUI JUGERAI DEMAIN SI, OUI OU NON, VOUS ÊTES SÉLECTIONNÉS !
APPORTEZ VOTRE ÉQUIPEMENT DE NINJAS.
ET SURTOUT VENEZ À JEUN... SINON VOUS RISQUEZ DE VOMIR VOTRE PETIT-DÉJEUNER !!!
BRR BRR BRR
PAS QUESTION D'ÉCHOUER MAINTENANT !
JE DOIS CONVAINCRE MAÎTRE KAKASHI DE MA FORCE ! POUR ÇA, IL N'Y A QU'UNE SOLUTION : DEMAIN, JE DOIS LE VAINCRE ! ÇA VA BARDER !!

VOUS TROUVEREZ TOUS LES RENSEIGNE-MENTS COMPLÉ-MENTAIRES SUR CETTE PHOTOCOPIE.
SURTOUT, SOYEZ À L'HEURE !
tap tap
テクテク
AH ! アセ
アセ AH !
ス…
flap
ON RISQUE VRAIMENT DE VOMIR ?! L'ÉPREUVE EST SI DURE QUE ÇA ?!

MAIS SI J'ÉCHOUE À CE TEST…
… JE SERAIS SÉPARÉE DE SASUKE…
BOUM
ド
キ
BOUM
BOUM
ドキ
BOUM
C'EST NOTRE AMOUR QUI EST MIS À L'ÉPREUVE !!
gnip

ZAM !
…
SCRAP

BKOM
ドクンドクン
BKOM
C'EST PLEIN DE MOTS COMPLIQUÉS !!
HMMM.

S'IL FAIT ÇA, JE LUI COLLE ÇA !
fwash
さっ
ET ENSUITE ÇA !
Pof
ET LÀ, IL VA ESSAYER DE ME DONNER UN COUP DE PIED AVEC LA JAMBE DROITE
BAM
JE PROFITE DE LA FAILLE POUR LUI BRISER LES BIJOUX DE FAMILLE !
CE SOIR-LÀ, NARUTO S'ENTRAÎNA DUR À BASTONNER UN MANNEQUIN À L'EFFIGIE DE KAKASHI.
PAFF

LE LENDEMAIN
SALUT LES JEUNES ! EN FORME ?
VOUS ÊTES EN RETARD !!

Ptac
OK ! IL SONNERA À 12 HEURES PILE !

?

J'AI ICI DEUX CLOCHETTES.
VOUS DEVEZ VOUS EN EMPARER AVANT MIDI.

CEUX QUI N'AURONT PAS RÉUSSI À ME PRENDRE UNE CLOCHETTE D'ICI LÀ...
...SERONT PRIVÉS DE DÉJEUNER !!!
ILS SERONT LIGOTÉS AUTOUR DE CES FÛTS, ET JE MANGERAI JUSTE SOUS LEUR NEZ, COMPRIS ?

VOILÀ POURQUOI...
...IL NOUS A DIT DE VENIR À JEUN.
AAAAH !
ぎゅるるるるる
Brrooooo

COMME VOUS LE VOYEZ, JE N'AI QUE DEUX CLOCHETTES.
PAR CONSÉQUENT, IL Y EN AURA FORCÉMENT UN DE VOUS TROIS QUI SAUTERA LE REPAS.
Ding Ding

ET SURTOUT...
CEUX QUI N'AURONT PAS DE CLOCHETTES SERONT RECALÉS !
IL Y EN A DONC AU MOINS UN PARMI VOUS, QUI RETOURNERA ASTIQUER LES BANCS DE L'ÉCOLE...

Gloups

VOUS ÊTES AUTORISÉS À UTILISER LES SHURIKENS.
Snap !
IL VA FALLOIR VOUS BATTRE SÉRIEUSEMENT POUR RÉUSSIR.

MAIS !!!
ON RISQUE DE VOUS TUER !

C'EST VRAI ÇA ! VOUS ÊTES TELLEMENT EMPOTÉ QUE...
... VOUS N'AVEZ MÊME PAS RÉUSSI À ÉVITER L'ESSUIE-CRAIE !!
ON VA VOUS METTRE EN PIÈCES !!!

C'EST MARRANT ÇA... C'EST TOUJOURS LES INCAPABLES QUI LA RAMÈNE LE PLUS...
T'EMBALLE PAS COMME ÇA...
BON... LAISSONS NOTRE AMI LE CANCRE À SON DÉLIRE, ET PRÉPAREZ-VOUS À COMMENCER QUAND JE DONNERAI LE SIGNAL.

CANCRE !!
CANCRE !! CANCRE !!
CANCRE !!
CANCRE !!
CANCRE !!
GRRR

FWUP
SNAP
FWUP
WSHH

AH !!!
WHOOOSHH

SNAP
TOP
COUIC

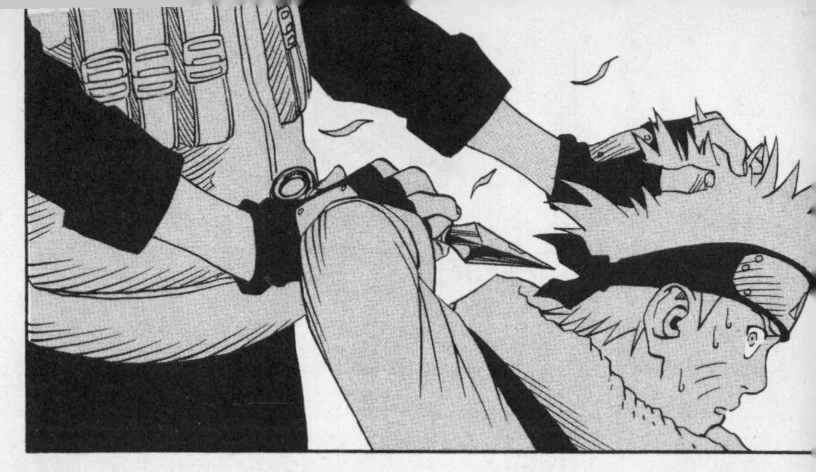

PAS DE PRÉCIPITATION.
JE N'AI PAS ENCORE DONNÉ LE SIGNAL DE DÉPART.

INCROYABLE...
JE NE L'AI PAS VU SE DÉPLACER...

VOILÀ DONC DE QUOI EST CAPABLE UN NINJA DE NIVEAU SUPÉRIEUR...

PARFAIT... JE VOIS QUE VOUS AVEZ COMPRIS.
VOUS ME PRENEZ AU SÉRIEUX MAINTENANT ?

HÉ HÉ HÉ... JE CROIS QUE...
... JE COMMENCE À...
... BIEN VOUS AIMER...
わくわく
GLOUPS

ALLEZ, ON COMMENCE !
PRÊTS ...

PARTEZ !!
FWASSH
FWASSH
FWASSH

KAKASHI DEVAIT PARLER EN "GOZARU" !*

NDT : "GOZARU" EST UN ÉLÉMENT CONCLUSIF DE LA PHRASE JAPONAISE QUI N'EST PLUS USITÉ AUJOURD'HUI. IL CONFÉRAIT AU PERSONNAGE UN CARACTÈRE TÉNÉBREUX.

" LE 2e ÉPISODE QUE VOUS NE VERREZ JAMAIS "

AU DÉPART, J'AVAIS PRÉVU DE FAIRE INTERVENIR KAKASHI DÈS LE DEUXIÈME ÉPISODE DU MANGA. JE PROJETAIS DE LE FAIRE S'EXPRIMER D'UNE MANIÈRE TRÈS POSÉE, ET PRESQUE OSTENTATOIRE, À L'AIDE DE L'ÉLÉMENT CONCLUSIF " GOZARU ".

JE PENSAIS FAIRE DE KAKASHI, LE PROFESSEUR DE NARUTO, AVANT MÊME QUE SASUKE ET SAKURA N'APPARAISSENT DANS L'HISTOIRE.

C'EST À LA SUITE D'UN ENTRETIEN AVEC MON RESPONSABLE ÉDITORIAL, QUE CETTE PARTIE DU SCÉNARIO A ÉTÉ REMANIÉE. LE KAKASHI QUE VOUS CONNAISSEZ, DE MÊME QUE SAKURA ET SASUKE, SONT DES PERSONNAGES QUI ONT ÉTÉ SOIGNEUSEMENT ÉLABORÉS AU COURS DE DIFFÉRENTES RÉUNIONS DE TRAVAIL.

5e ÉPISODE :
L'INATTENTION EST LA PIRE ENNEMIE !
NARUTO
ICHIRAKU
MON VIEUX

LE B-A-BA DU NINJA, C'EST DE SAVOIR SE DISSIMULER, DE FAÇON À NE PAS ÊTRE REPÈRE.
tap

BIEN...
ILS SE SONT BIEN CACHÉS.

ALLONS-Y !!!
L'HEURE DE L'AFFRONTEMENT A SONNE !
WHAM !

ALLEZ ! EN GARDE !
...
J'AI L'IMPRESSION QUE T'ES PAS COMPLÈTEMENT DANS LE COUP...
COMMENT FAIT-IL POUR ÊTRE AUSSI STUPIDE...

scrutt
Ding Ding
frbll
C'EST VOTRE COUPE DE CHEVEUX QUI N'EST PAS DANS LE COUP !!
WSSHH

scrssh
OH...

!!

IL S'APPRÊTE À SORTIR UNE ARME...
POURTANT...

LE TAIJUTSU... CE SONT LES TECHNIQUES À MAINS NUES...

stoc
flop

ART MARTIAL NINJA, 1ère LEÇON :
LE TAIJUTSU !!!
PRENDS-EN DE LA GRAINE.

FLAP
FLAP
LE PARADIS DU BATIFOLAGE
Tome 2
PARADIS DU BATIFOLAGE
WHAM !

?!

BEN ALORS ? QU'EST-CE QUE TU ATTENDS POUR M'ATTAQUER ?
HEIN ? MAIS... MAIS... QU'EST-CE QUE VOUS FAITES AVEC CE LIVRE ?!

BAH ! JE LE LIS, PARDI ! J'AI HÂTE DE SAVOIR LA SUITE.
NE T'INQUIÈTE PAS POUR MOI... JE PEUX TRÈS BIEN CONTINUER À BOUQUINER EN COMBATTANT CONTRE DES GAMINS COMME VOUS.
LE PARADIS DU BATIFOLAGE

FTAP
GRRR !
!!
JE VAIS VOUS RÉDUIRE EN CHARPIE !!!
SDOM !
YAAAAH !!!

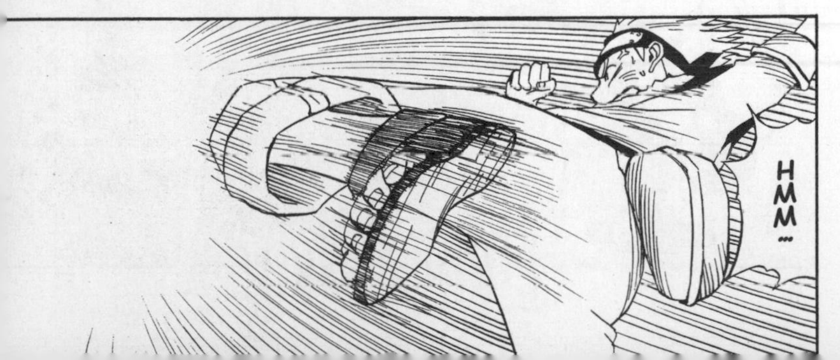
HMM...

FWSSH!
WHUP
stap!
YAAA..
..HAAAA!!!
FWOOSHH

flop
HUM ?
UN NINJA DOIT TOUJOURS SURVEILLER SES ARRIÈRES, IDIOT.

!
AH ?!

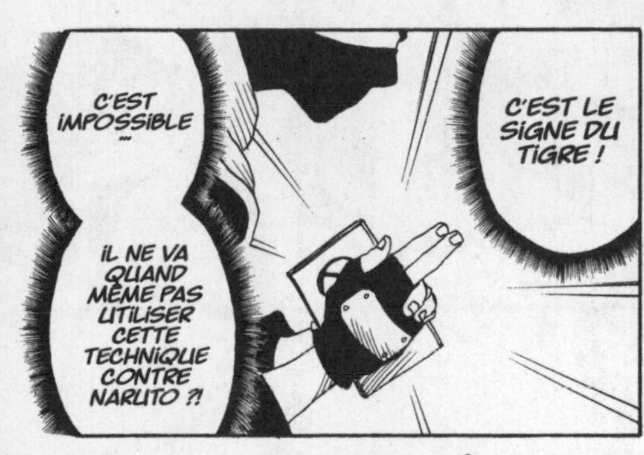
C'EST LE SIGNE DU TIGRE !
C'EST IMPOSSIBLE ...
IL NE VA QUAND MÊME PAS UTILISER CETTE TECHNIQUE CONTRE NARUTO ?!

LE SIGNE DU FEU...
LE PROF NE FAIT DONC PAS QU'ESQUIVER NOS ATTAQUES...

NARUTO !! SAUVE-TOI VITE !!
TU VAS TE FAIRE MASSACRER !!
fwash !

HEIN ?
TROP TARD.

Whooosh
SDOOOMM
ARCANE TAIJUTSU DU VILLAGE KONOHA !!!
TECHNIQUE ANCESTRALE !!
KYAAAAA !!

fwap
...
C'ÉTAIT UNE FEINTE...
TU PARLES D'UNE TECHNIQUE ANCESTRALE...
IL LUI A JUSTE PLANTÉ DEUX DOIGTS DANS LES FESSES AVEC UNE FORCE INCROYABLE...
wiiiiz
...
QUEL COMBAT DE CLOWNS ...
PFFF

SPLAAAASHH

...
flap
LE PARADIS DU BATIFOLAGE

...

IL EST BEAUCOUP TROP FORT...
QUE PEUT-ON FAIRE FACE À LUI...

BLOUBLOUB
!
BON SANG !

ÇA NE SE PASSE PAS DU TOUT...
kchac
... COMME JE L'AVAIS PRÉVU...!
ボコ ボコ
BLOUBLOUB

SPLAAASH
ジュ!
SPLAAASH
ジュ!

!!
fwssshh

RII
くるり くるり
RII
...

AH AH AH AH AH
Whpp

BLUB !!!
(ZUT !!)

IL RIGOLE EN LISANT SON BOUQUIN...
...

LES ATTAQUES DE NARUTO NE L'INQUIÈTENT MÊME PAS...

BLOUB
PAS QUESTION DE...

C'EST TOI, LE RENARD À NEUF QUEUES, QUI A DÉVASTÉ LE VILLAGE !
TOUT LE MONDE TE DÉTESTE !
PAS QUESTION DE...
FWIP
CE N'EST PAS POUR RIEN QUE JE LE CONSIDÈRE COMME...
... L'UN DES TOUT MEILLEURS ÉLÈVES DE L'ÉCOLE !

ZOM
... REVENIR EN ARRIÈRE MAINTENANT !

PLAAASH

ザッ
PLAAAASH
バァ!
KEUUF!!! KEUUF!!!
ALORS ? QU'EST-CE QUE TU FABRIQUES ?
JE TE RAPPELLE QUE SI TU N'ATTRAPES PAS UNE CLOCHETTE AVANT MIDI, TU SERAS PRIVÉ DE REPAS !
!!
HAA
HAA
HAA

JE SAIS BIEN !!!

TU ES PLUTÔT FAIBLARD POUR QUELQU'UN QUI PRÉTEND SURPASSER TOUS LES HOKAGES...
C'EST CE QU'ON VERRA !
J'AI PEUT-ÊTRE LE VENTRE VIDE, MAIS JE N'AI PAS ENCORE DIT MON DERNIER MOT !!
ギュルルルル
Cliing
Brroooooo

...
QUELLE IDIOTE... À CAUSE DE MON RÉGIME, JE N'AI RIEN MANGÉ HIER SOIR...
JE MEURS DE FAIM...
ぎゅるるるる
Bryoooooo

TOUT À L'HEURE, J'AI JUSTE MANQUÉ D'ATTENTION, C'EST TOUT !
COMME LE DIT LE PRÉCEPTE, "L'INATTENTION EST LA PIRE ENNEMIE DU NINJA."
ftap

HAAA ! J'AI LA DALLE...
...
HAA
HAA
JE N'AI PLUS DE FORCES...

MAIS...
JE DOIS M'EMPARER D'UNE CLOCHETTE !!!
HAA
HAA
HAA

JE DOIS ABSOLUMENT LUI PRENDRE !!!
HAA

PEUH

CAR JE VEUX À TOUT PRIX...
Plaash
HHIP !!

... DEVENIR
UN
NINJA !!

HUM
?

HE HE HE !! VOILÀ MA BOTTE SECRÈTE ! LA TECHNIQUE DU MULTI-CLONAGE !!
HAA
HAA
C'EST VOUS QUI N'AVEZ PAS ÉTÉ VIGILANT CETTE FOIS ! MAINTENANT, J'AI L'AVANTAGE DU NOMBRE !!

1, 2, 3... 8 CLONES !!!
C'EST LA PREMIÈRE FOIS QUE JE VOIS CETTE TECHNIQUE...

QUOI ?
CE NE SONT PAS DE SIMPLES ILLUSIONS, CHAQUE CLONE A SA CONSISTANCE ?

HMM
VRII
ftap
JE VOIS... CE NE SONT PAS DE SIMPLES RÉFLEXIONS
CE SONT DES CLONES TOUT CE QU'IL Y A DE PLUS RÉELS...

C'EST AVEC CETTE TECHNIQUE INSCRITE DANS LE ROULEAU SECRET, QU'IL A TERRASSE MIZUKI
AVEC TES CAPACITÉS, TU NE PEUX CERTAINEMENT PAS TENIR CETTE TECHNIQUE PLUS D'UNE MINUTE...
TU AURAS BEAU CRÉER AUTANT DE CLONES QUE TU VEUX, MON PAUVRE NARUTO...
CE N'EST PAS AVEC CETTE TECHNIQUE QUE TU PARVIENDRAS À M'AVOIR.
WSSSHH !
WSSSHH !!
WSSSHH !

!
Tomb

QU... QUOi ?!
OH!
ポッ

PAR L'ARRIÈRE ?!
STUCK !
Cliiing

HE HE... ALORS, JE CROYAIS QUE LES VRAIS NINJAS NE SE FAISAIENT JAMAIS SURPRENDRE PAR L'ARRIÈRE...
PAS VRAI, MAÎTRE KAKA-SHI !!

J'AI UTILISÉ LA TECHNIQUE DU MULTI-CLONAGE SOUS L'EAU ET J'AI ENVOYÉ UN CLONE SUR LA BERGE...
...POUR QU'IL S'APPROCHE DISCRÈ-TEMENT DANS VOTRE DOS !
top

VOUS M'AVEZ FAIT MAL AUX FESSES TOUT À L'HEURE !
L'HEURE DE LA VENGEANCE A SONNÉ !!

BRAVO, NARUTO !!!
C'EST SUPER BIEN JOUÉ !

PAS MAL...
C'ÉTAIT ASSEZ RUSÉ...

ÇA VA FAIRE MAL !!
SDAAM

YAAA HAAA !!!

?!
HEIN ?!

LES PETITES HISTOIRES SANS INTÉRÊT DE MASASHI KISHIMOTO

JE SUIS ORIGINAIRE D'UN PETIT TROU PERDU, AU FIN FOND DE LA CAMPAGNE. J'AI GRANDI AU MILIEU DES FORÊTS ET DE LA VÉGÉTATION. LA NATURE, JE LA CONNAIS ! ALORS, IMAGINEZ UN PEU LE CHOC QUE J'AI RESSENTI EN ARRIVANT À TOKYO ! RIEN QUI RESSEMBLE À UN COIN DE VERDURE... DANS CETTE MÉTROPOLE GIGANTESQUE ! POUR ME SENTIR À L'AISE, ET TRAVAILLER CORRECTEMENT DANS UN ENVIRONNEMENT PAREIL, IL ME FALLAIT ABSOLUMENT QUELQUE CHOSE QUI RAPPELLE MA VERTE CAMPAGNE. J'AI DONC ACHETÉ UNE PLANTE VERTE QUE J'AI PLACÉE SUR MON BUREAU.

" SALUT LA PLANTE ! À PARTIR D'AUJOURD'HUI, TU SERAS MON PARTENAIRE ! "

J'AI IMMÉDIATEMENT DÉCIDÉ DE LUI DONNER UN NOM.

" UKKI LE VÉGÉTAL"

" UKKI LE VÉGÉTAL, TES FEUILLES SONT MAGNIFIQUES AUJOURD'HUI ! "

" ... "

TU AS FAIT UNE BONNE PHOTOSYNTHÈSE AVEC LE SOLEIL D'HIER, PAS VRAI ? "

" ... "

" TIENS, BOIS UN PEU DE CET ENGRAIS LIQUIDE, ÇA VA TE DONNER LA PÊCHE ! "

" ... "

ON FORMAIT UNE SACRÉE ÉQUIPE, TOUS LES DEUX.

MON ASSISTANT :

" DITES DONC, MONSIEUR KISHIMOTO, ELLE A UNE SALE TÊTE VOTRE PLANTE VERTE... "

QUOI ?! QU'EST-CE QUE TU RACONTES ! REGARDE UN PEU TOUTES LES BONNES VITAMINES QUE JE LUI DONNE.

MON ASSISTANT :

" AH ! ARRÊTEZ ! IL NE FAUT PAS VERSER CET ENGRAIS À L'ÉTAT PUR ! IL FAUT D'ABORD LE DILUER ! "

OUPS...

6e ÉPISODE : NON ! PAS SASUKE !

6e ÉPISODE :
NON ! PAS SASUKE !
SHINOBI SHINOBI
TORA*
*TIGRE

TU ES KAKASHI, PAS VRAI ?!
TU T'ES MÉTAMORPHOSÉ, HEIN ?!
BLAM
N'IMPORTE QUOI ! C'EST TOI !
NON ! C'EST TOI !
ARRÊTEZ ! C'EST PAS MOI !
BLIM
C'EST TOI ! TU AS LA MÊME ODEUR DE VIEUX QUE LE PROF !
BOM
DIS PAS N'IMPORTE QUOI !
HE, LES GARS !
LE PLUS SIMPLE, C'EST D'ANNULER LE MULTI-CLONAGE.
COMME ÇA, ON SERA TOUT DE SUITE FIXÉS.
HAA
HAA
HAA
BONNE IDÉE ! POURQUOI TU NE L'AS PAS EUE PLUS TÔT, CRÉTIN !
NE ME TRAITE PAS DE CRÉTIN ! CRÉTIN !
HAA
HAA
HAA
HAA
POF

...
PLAAA...
ポッン…

UNE PETITE LARME COULA ALORS DE L'OEIL DE NARUTO...

NARUTO...
QUELLE HONTE ...

IL A UTILISÉ L'A TECHNIQUE DE PERMUTATION.

LE MANUEL DU PARFAIT NINJA, TOME 1, PAGE 3 : TECHNIQUE DE PERMUTATION !
TECHNIQUE QUI CONSISTE À SUBSTITUER UN ANIMAL OU UN VÉGÉTAL À LA PLACE DE SON PROPRE CORPS...
fwip
ズッ…
PERMUTATION INSTANTANÉE...
... POUR FAIRE CROIRE À L'ADVERSAIRE QUE SON ATTAQUE A BIEN FONCTIONNÉ, ET L'ATTAQUER PENDANT QU'IL BAISSE SA GARDE.
カッ!
toc !

DANS CE CAS-CI, LE PROFESSEUR KAKASHI A PERMUTÉ UN CLONE DE NARUTO À LA PLACE DE SON PROPRE CORPS.
PERMUTATION INSTANTANÉE
NON SEULEMENT IL S'EST TIRÉ D'AFFAIRE ; MAIS, EN PLUS, IL A RETOURNÉ L'ATTAQUE DE NARUTO CONTRE LUI-MÊME.

HMM...

!

UNE CLO-CHET-TE !!

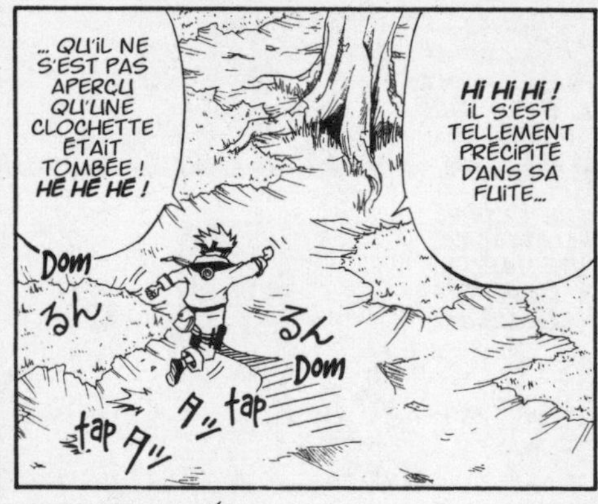
Hi Hi Hi ! IL S'EST TELLEMENT PRÉCIPITÉ DANS SA FUITE...
... QU'IL NE S'EST PAS APERÇU QU'UNE CLOCHETTE ÉTAIT TOMBÉE ! HÉ HÉ HÉ !
Dom
るん
るん
Dom
tap
タッ
tap
タッ

fwp

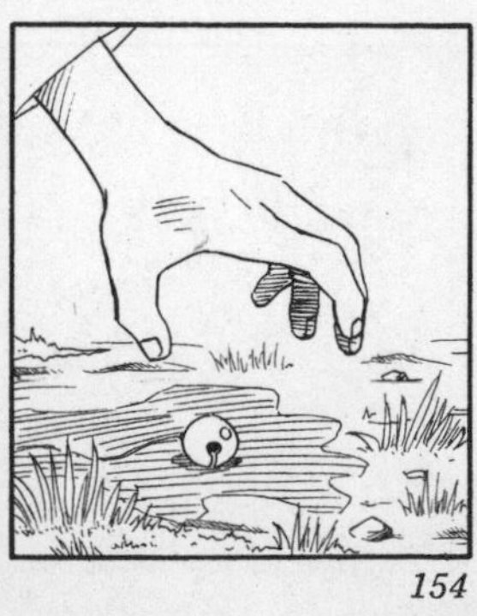

AH ?!

SWIIISHH
ゆ

QU'EST-CE QUE C'EST QUE ÇA ?!
びょん
DOIIING
びょん
BOIIING

UN PIÈGE, PARDI !!!
LE PROFESSEUR PREND LES CHOSES TRÈS AU SÉRIEUX... IL N'A PAS FAIT LE MOINDRE CADEAU À NARUTO...

TAP

!

Cliing
ポン
ET PUIS...
ÉVITE DE TOMBER DANS LES PIÈGES LORSQU'ILS SONT AUSSI ÉVIDENTS !

AH !!!
RÉFLÉCHIS À DEUX FOIS AVANT D'UTILISER UNE TECHNIQUE...
... SI TU NE VEUX PAS QU'ELLE SE RETOURNE CONTRE TOI.
GRRRR !!

UN VRAI NINJA DOIT FAIRE PREUVE DE PLUS DE DISCER-NEMENT !

OUAIS, JE SAIS TOUS CES TRUCS-LÀ !
ブン fwup ブン fwup
JE N'EN AI PAS L'IMPRESSION, JUSTEMENT ! C'EST POUR ÇA QUE JE TE LE DIS.

MAIN-
TE-
NANT !
WSSHH
DEPUIS LE DÉBUT, J'ATTENDAIS QU'IL RELÂCHE SON ATTENTION !!!

Stac
Stac
Stac
TU ES VRAIME...
Stac
Stac
WHAAAAA !! EN PLEINE TÊTE !!
T'ES FOU, SASUKE ! C'ÉTAIT PAS LA PEINE D'Y ALLER SI FORT !
Plashh

ドッ
BLOM
カ

!!

ÇA Y EST, JE LE VOIS...

ENCORE UNE PERMUTATION ! IL M'A EU ! MAINTENANT, IL SAIT OÙ JE ME TROUVE !
ZAM !
IL FAISAIT "SEMBLANT" D'ÊTRE INATTENTIF ! QUEL IMBÉCILE JE SUIS D'ÊTRE TOMBÉ SI FACILEMENT DANS SON PIÈGE !

TADADA
TADADA
JE ME DEMANDE ...
OÙ EST SASUKE ...

WSShh
POURVU QUE...
NON ! CE N'EST PAS POSSIBLE ! PAS SASUKE !
SKRIITCH

!

ZAM !

OUF ! IL NE M'A PAS REPÉRÉE ...
Cliing

SAKURA, RETOURNE-TOI.
HEIN ?!

WHAM

JE VAIS T'EN MONTRER MOI, DU DISCERNEMENT !!
FWSHH

ザギュ!!
SCRITCH !

YOUP !
クルン!
IL NE M'AURA PAS DEUX FOIS...
... AVEC SES PIÈGES À LA NOIX !

ftap

slap

SCRRSSSHH
OH NOOON !!! ÇA RECOM-MEEE-EENCE !!!
ZWOOSH

sdong
プラーン…
LE FOURBE ! IL AVAIT TENDU LE MÊME PIÈGE JUSTE EN DESSOUS !!!
プンプン
fwip fwip

FFWWSHH
FFWWSHH
FFWWSHH

FFWWWSSHHH

!!
HEIN ?!
QUOI ?! QU'EST-CE QUE C'ÉTAIT ?!
QU'EST-CE QUI S'EST PASSÉ ?! OÙ EST LE PROF ?!

SA-KU-RA...

!
C'EST... C'EST LA VOIX DE...

SASUKE !!!

SA... SAKU... RA...
HAA
HAA
AI... AIDE-MOI...
HAA
HAA
HAA
HAA
WHAM

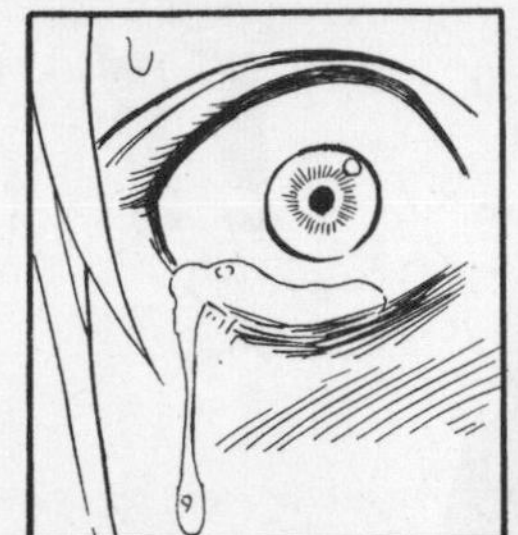
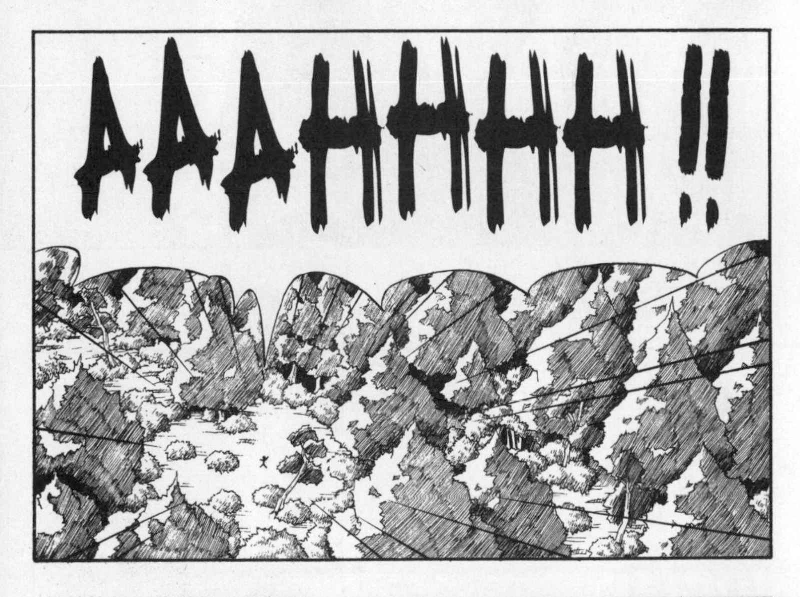
AAAHHHHH !!

Blom

...
J'Y SUIS PEUT-ÊTRE ALLÉ UN PEU FORT...
LE PARADIS DU BATIFOLAGE

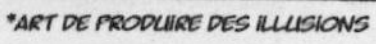
*ART DE PRODUIRE DES ILLUSIONS

...LE GENJUTSU... UNE SORTE D'HYPNOTISME HALLUCINANT...
ÇA NE M'ÉTONNE PAS QUE SAKURA Y AIT SUCCOMBÉ... MAIS...

BLABOUH
ブク
ブク

ザッ
FWishh

JE VOUS PRÉVIENS QUE VOS PETITS TOURS NE PRENDRONT PAS AVEC MOI...
ON EN REPARLERA, SI TU RÉUSSIS À ME PRENDRE UNE CLOCHETTE...
SASUKE.

NARUTO STAFF

7e ÉPISODE :
LA CONCLUSION DE KAKASHI

LE DESCENDANT DE LA FAMILLE UCHIWA
ON VA BIEN S'AMUSER...

Snap
スス・・・

FYUUUSH

AVEC DES ATTAQUES DIRECTES, TU N'AS AUCUNE CHANCE DE GAGNER !
FWSSSHH
tap
top
SCRSSSHH
Hé Hé
!
slash
UN PIÈGE ?!
FWUP !

SCRRSSSHH
fwiish
!!
QUOI ?!
SDOM !
SCRSSH

snap !
FTOP
PAM !
!!

SHBAAM
Cliing
!
HE HE

OUPS !!!
サッ
FWSHH
チャリン!
Cliiing
Whop
SLAP!

SCRRSSHH

IL EST DRÔLEMENT CORIACE...
IL NE ME LAISSE MÊME PAS LE TEMPS DE LIRE "LE PARADIS DU BATIFOLAGE"...
cliing

HAA
HAA
HAA
ftap

HEIN ?
...
OÙ... OÙ SUIS-JE...?

!
JE ME SOUVIENS ! SASUKE ÉTAIT HORRIBLEMENT BLESSÉ...
JE ME SUIS ÉVANOUIE EN LE VOYANT...

SASUUUUKEEE!!!
NE MEURS PAS SANS MOI !!
OÙ ES-TU ?!

...
Vrll
くる
Vrll
くる
!

TIENS... C'EST QUOI ÇA ?
JE N'AVAIS PAS REMARQUÉ CETTE STÈLE, DERRIÈRE LES FÛTS...

!
OH !!!
LES BOITES À CASSE-CROÛTE SONT POSÉES LÀ-BAS !

UN NINJA DOIT AGIR AVEC DISCERNEMENT...
... PAS VRAI ?

Hi Hi Hi

* ART D'UTILISER LE FEU

FRRSSHHH
ボゴゴゴ

PSSHHH
モク
モク
PSSHH

BROOOOFF

!
IL A DISPARU !!!

DERRIÈRE ?! NON ! EN L'AIR ?!
NON PLUS ! OÙ EST-IL PASSÉ ?
scrutt
scrutt

EN BAS !
!!

* ART D'UTILISER LA TERRE

MAIS COMME ON DIT...
"LE CLOU QUI DÉPASSE SE FAIT TAPER DESSUS !" AH ! AH ! AH !
GRRR
ftap ftap

HÉ HÉ HÉ ...

POURQUOI PERDRE SON TEMPS À ESSAYER D'ATTRAPER UNE CLOCHETTE !
JE N'AI QU'À CASSER LA CROÛTE EN CACHETTE !!!
JE VAIS ME RÉGALER !

ZOM
DIS DONC, PETIT MALIN...
EUH... EN FAIT... JE DISAIS ÇA POUR RIRE...
LE MENSONGE NE PREND PAS.

BON SANG... LA DIFFÉRENCE DE NIVEAU EST ÉNORME...

!
!
ftap

...

AAAHHH!!!
SASUKE S'EST FAIT DÉCAPITER !!

Blom
EH ! EH...

OH, SAKURA !

...
J'ENTENDS LA VOIX DE SASUKE...

SASUKE!!!
!

ガバ
TU ES VIVANT !!!
GNAP !
HE ! ARRÊTE !!!
LÂCHE-MOI !

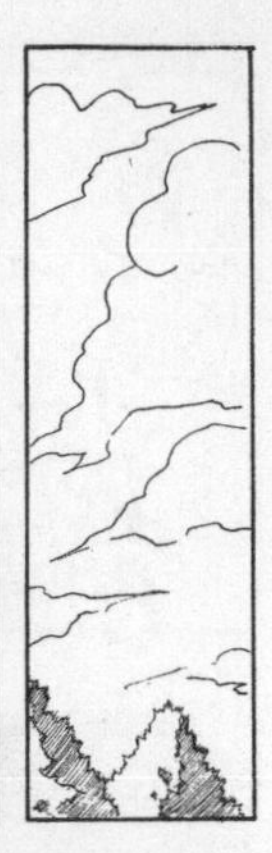

IL NE RESTE PLUS BEAUCOUP DE TEMPS AVANT 12 HEURES.
IL FAUT QUE J'Y AILLE.

TU CROIS VRAIMENT POUVOIR ATTRAPER UNE CLOCHETTE ?
JE LES AI TOUCHÉES TOUT À L'HEURE.
LA PROCHAINE FOIS SERA LA BONNE.
QUOI ?!

AH... AH BON...
TU ES VRAIMENT TRÈS FORT, HEIN...
LA VACHE ! LE PROF EST TROP FORT POUR MOI, JE N'ARRIVERAI JAMAIS À M'EMPARER D'UNE CLOCHETTE...
SASUKE ET MOI ALLONS ÊTRE SÉPARÉS !

MAIS TU SAIS... IL N'Y A PLUS BEAUCOUP DE TEMPS...
CE N'EST PAS LA PEINE DE TE TRACASSER... ON POURRA TOUJOURS RETENTER NOTRE CHANCE À LA PROCHAINE SESSION...

ZAM
ギロ。

GLOUPS !
ビック!
...

fwp
ス…

...

IL N'Y A QUE MOI QUI PUISSE TUER CE GARS.

HEIN ...?
TU VEUX PARLER DU PROFES-SEUR KAKASHI ?

CE JOUR-LÀ... LES LARMES ...

DES LARMES ...?

MON...

QUOI ...?
JE N'Y COM-PRENDS RIEN...

JE DOIS ACCOMPLIR MA VENGEANCE !!!
POUR ÇA, JE DOIS DEVENIR PLUS FORT QUE CET HOMME !! JE N'AI PAS DE TEMPS À PERDRE...
!

MON OBJECTIF EST... DE TUER UN CERTAIN HOMME.

DRiiiiNGG

SASUKE...

DRiiiiiiNGG
ZUT !
ET VOiLÀ !
J'Ai PERDU DU TEMPS EN BAVARDAGES iNUTiLES !
...
SSh

10 MiNUTES PLUS TARD...
Br-r-oooo
ぎゅるるるる

DiTES DONC, VOS ESTOMACS FONT...
... UN SACRÉ BOUCAN ...
BON, ASSEZ PLAiSANTÉ.
iL FAUT QUE JE VOUS DiSE QUELQUE CHOSE À PROPOS DE CETTE ÉPREUVE.

FRANCHEMENT...
... JE PENSE QU'AUCUN DE VOUS TROIS N'A BESOIN DE RETOURNER À L'ÉCOLE.
!!

COOL!!!

HEIN ? JE N'AI FAIT QUE TOMBER DANS LES POMMES...
J'AI QUAND MÊME RÉUSSI ?
L'AMOUR A GAGNÉ ! YEAH !!
SAKURA EN SON FOR INTÉRIEUR

HMM

SUPER ! GÉNIAL !
fwap
fwap
ÇA VEUT DIRE QUE TOUS LES TROIS, ON...

VOLUME 1 " NARUTO UZUMAKI " (FIN)

Masashi Kishimoto

Masashi Kishimoto est né le 8 novembre 1974 dans le département d'Okayama. A à peine 20 ans, il reçoit le prix "Hope-Step" décerné par les éditions Shueisha aux jeunes auteurs à l'avenir prometteur pour son récit court intitulé "Karakuri". Le prix Hope-Step fut de même attribué auparavant à des mangakas aujourd'hui devenus incontournables tels que Yoshihiro Togashi (Hunter X Hunter, Yuyu Hakusho), Nobuhiro Watsuki (Ruroni Kenshin) et Eiichiro Oda (One Piece). On peut trouver le récit "Karakuri" dans le 18e recueil des lauréats du prix Hope-Step paru en 1996 dans la collection Jump Comics. La série "Naruto" est prépubliée dans l'hebdomadaire Shônen Weekly Jump depuis le n°43 de l'année 1999. Le 10e volume relié est sorti en décembre 2001 et le succès de cette série au Japon ne cesse de grandir.

Quelques explications

Naruto est un manga qui s'inscrit dans la tradition des récits d'aventure symbolisant l'hebdomadaire Weekly Jump : Dragon Ball par le passé, Hunter X Hunter et One Piece entre autres à l'heure actuelle. Tout bon manga de cette lignée foisonne d'humour et de gags en tout genre. Une des formes d'humour que Masashi Kishimoto semble affectionner tout particulièrement est celle basée sur des jeux de mots. Malheureusement, l'adaptation en est souvent difficile sans prendre le risque de tomber dans le ridicule. Par conséquent, nous tenterons dans ces pages de vous dévoiler du mieux possible "la face cachée" de la version originale. Vous comprendrez alors pourquoi l'adaptation en langue française est loin d'être une mince affaire!

Les noms des personnages

Naruto Uzumaki

En japonais, Uzumaki signifie une spirale et Naruto est le nom donné à un ingrédient que l'on trouve dans les Ramen, les soupes de nouilles chinoises. Il s'agit d'une fine lamelle ronde, rose et blanche, sur laquelle une spirale est représentée.

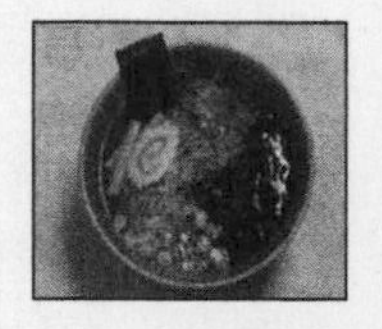

Sasuke Uchiwa

Uchiwa signifie "l'éventail" et il se trouve que c'est précisément l'emblème du clan de Sasuke. On peut le voir sur le dos de sa veste.

Kakashi Hatake

Kakashi désigne l'épouvantail en japonais. À ce stade de l'histoire, le jeu de mots reste encore inexpliqué (un rapport avec sa coiffure ?). Peut-être trouverons-nous des éléments de réponse dans la suite du récit...

Sakura Haruno

Haru signifie le printemps, no est une particule qui relie nom déterminé et déterminant et sakura désigne le cerisier. Autrement dit Haruno Sakura = Cerisier de printemps.

Outre les jeux de mots, certains termes méritent une explication pour ceux qui découvrent l'art ninja.

Le ninjutsu

Appellation japonaise de l'art martial ninja. Né dans la période Heian, il a longtemps été associé à de la magie (prestidigitation, hypnose) et à un savoir médical. Par la suite, le développement d'une société dans laquelle la violence se faisait plus présente a amené l'introduction de diverses techniques de combat. Les grandes écoles de ninjas telles que Koga et Iga connurent leur heure de gloire au 16e siècle lors des guerres civiles de l'époque Sangoku.

Le shuriken

C'est l'arme qu'affectionnent les ninjas. Elle permet d'attaquer par surprise et offre l'avantage d'être extrêmement silencieuse. C'est une sorte de fléchette métallique en forme d'étoile. Il en existe de différentes formes mais la plus connue est la "juji shuriken", la fléchette en forme de croix qui tourne durant sa course. Sa parfaite symétrie offre une précision impressionnante.

Les saignements de nez

À la page 14 du présent volume, l'un des personnages est victime d'un saignement de nez soudain. Au Japon, le saignement de nez est un des symptômes qui caractérisent l'excitation sexuelle. Les habitués des mangas auront déjà constaté ce phénomène dans de nombreuses autres séries. Tortue géniale en est certainement l'une des plus célèbres victimes dans Dragon Ball d'Akira Toriyama.

Ce manga est publié dans son sens
de lecture originale, de droite à gauche.

Ici, vous êtes donc à la fin.

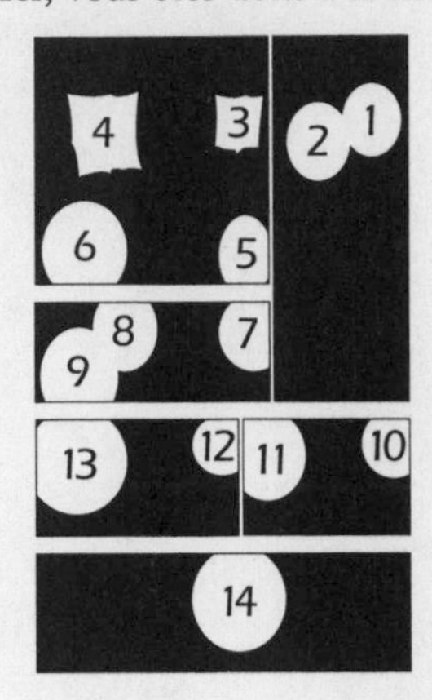

NARUTO

First published in Japan in 1999 by SHUEISHA Inc., Tokyo.
French translation rights in France and French-speaking Belgium, Luxembourg, Switzerland and Canada
arranged by SHUEISHA Inc. through VIZ Media Europe, S.A.R.L., France.

7, avenue P-H Spaak - 1060 Bruxelles
23e édition

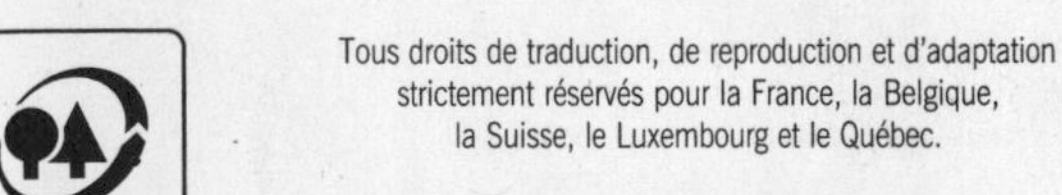

Dépôt légal d/2002/0086/66
ISBN 978-2-8712-9414-6

Traduit et adapté en français par Sylvain Chollet
Conception graphique : Les Travaux d'Hercule
Adaptation graphique : Éric Montésinos

Imprimé en France par Maury - Malesherbes

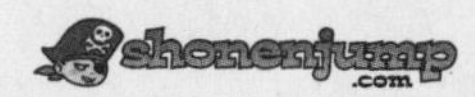